AF228894

UNIDAD DE PROYECTOS

Cómo establecer el Reino de Dios en el corazón de niños y adolescentes
para que impacten las siete esferas de influencia de una sociedad

4-14 años la edad más fructífera para formar a un discípulo

Editorial JUCUM forma parte de Juventud con una Misión una organización de carácter internacional.

Si desea un catálogo digital de nuestros libros solicítelos a:

Editorial JUCUM
P.O. Box 1138, Tyler, TX 75710-1138 U.S.A
Correo electrónico: info@editorialjucum.com
Teléfono: (903) 882-4725
www.editorialjucum.com

Unidad de proyectos
Copyright © 2021 por Editorial JUCUM

Todos los derechos reservados. Ninguna parte de este libro puede ser reproducida en forma alguna —a excepción de breves citas para reseñas literarias— sin previo permiso escrito de Editorial JUCUM.

Primera edición 2021
ISBN 978-1-64836-072-5
Diseño de carátula e ilustraciones: Pam Viana B.

A menos que se especifique otra cosa, las citas bíblicas pertenecen a la Santa Biblia Reina-Valera 1960 © Sociedades Bíblicas en América Latina, 1960. Renovado © Sociedades Bíblicas Unidas, 1988. Utilizado con permiso. Dios Habla Hoy (DHH), Dios habla hoy © Sociedades Bíblicas Unidas, 1966, 1970, 1979, 1983, 1996. La Biblia de las Américas (LBLA), Copyright © 1986, 1995, 1997 by The Lockman Foundation.

Impreso en Colombia por Editorial Nomos S.A.

NTRODUCCIÓN:

El enfoque principal de este currículo es inspirar, motivar y contribuir a que todos nosotros, el cuerpo de Cristo que formamos su Iglesia, tomemos conciencia de la importancia de levantar a la generación 4/14 (los niños y adolescentes entre los 4-14 años) para transformar el mundo.

Cuando trabajamos con niños, estamos discipulando una nación.

Deut. 6:7 «y las repetirás a tus hijos, y hablarás de ellas estando en tu casa, y andando por el camino, y al acostarte, y cuando te levantes».

«Instruye al niño en su carrera y aun cuando fuere viejo no se apartará».

AGRADECIMIENTOS:

Agradecemos a Juventud con una Misión, especialmente a Wedge y Shirley Alman, fundadores del ministerio de JUCUM en América Latina y a Yarely Niño, fundadora de JUCUM Puerto Rico. A Dale Kauffman y al ministerio de King´s Kids internacional por motivarnos, inspirarnos, capacitarnos y empoderarnos para trabajar con la generación emergente. Y a Lyssette Ruiz, directora de King's Kids P.R.

Y a todos los maestros, hombres y mujeres de Dios, por la inversión tan valiosa de su enseñanza y sus libros que han sido inspiración para conocer y vivir los principios del Reino de Dios aquí en la tierra. A Landa Cope, José y Diana González, Dra. Elizabeth Youmans, Darrow Miller, los Fabianos, Dean Harvey, Ron Boehme, Stephen McDowell, Dean Sherman, Dr. Alan Snyder, Dennis Carrol, Michael Wolfe, Dave Coke y Yarley Niño.

Un agradecimiento especial a quienes dedicaron muchas horas para escribir este currículo y a los que formaron parte del personal de JUCUM-PR, durante los años 1989-2012. Gracias por ofrendar su conocimiento, talentos, destrezas, creatividad para hacer posible la creación y redacción de cada clase, drama, canción, dinámica y proyecto educativo, presentados como parte de este currículo.

RECONOCIMIENTOS:

Gracias al Dr. Luis Bush y al Prof. José González por invitarnos a unirnos al movimiento internacional de la ventana 4/14 y por motivarnos a escribir un currículo lo que Dios nos había estado enseñando por 25 años en el discipulado de los niños, adolescentes y jóvenes.

DEDICACIÓN:

A todos los niños, adolescentes y jóvenes que formaron parte del ministerio de King's Kids Puerto Rico y al elenco nacional entre los años 1989 al 2012. Y a sus padres, por habernos confiado a sus hijos.

ÍNDICE

Para los demás anexos descargarlos gratuitamente de la página de Editorial JUCUM.

www. editorialjucum. com

¿Por qué este currículo?

Para responder a la necesidad de contar con una herramienta que facilite el discipulado de nuestros niños desde *el teísmo bíblico,* y les ayude a entender cómo vivir los principios del Reino de Dios aquí en la tierra. Creemos que a través de sus dones y talentos, dados por Dios, ellos pueden contribuir a la transformación de la sociedad. Con este currículo queremos ayudarles a descubrir aquellas áreas de influencia a la cual Dios les está llamando a servir.

¿Cómo usar este currículo?

Hemos diseñado las lecciones, empleando el método reflexivo de enseñanza y aprendizaje.

El formato de las lecciones está basado según lo enseñado y sugerido por la Dra. Elizabeth Youmans, y el método de «Educación por principios» (*Principle Approach*), desarrollado por la Dra. Rosalie Slater:

- ▸ Objetivo de la lección: aprendizaje y entendimiento; palabra clave de vocabulario, el principio bíblico a enseñarse y la cita bíblica.
- ▸ Principio bíblico: establece la verdad como fundamento y la estructura para enseñar la lección.
- ▸ Escritura bíblica: que apoya el principio bíblico a enseñarse.
- ▸ Actividad: drama, música, etc.
- ▸ Hoja de registro: anotar, registrar lo aprendido en la clase para recordarlo y aplicarlo a sus vidas.
- ▸ Proyectos: demostrar en forma creativa lo aprendido en el salón de clase, para que pueda asimilar integralmente la enseñanza.

Cada clase cuenta con una palabra clave que debe ser explicada durante la enseñanza. Los niños y adolescentes aprenderán cómo Dios se revela en cada esfera de la sociedad. Las esferas cuentan con un color en particular. Por ejemplo, el color anaranjado pertenece a la familia; sugerimos que todo lo referente a la esfera de la familia lleve el color anaranjado. Así los niños y adolescentes podrán resaltar los versículos claves en sus Biblias, con el color correspondiente cuando hacen referencia a cada esfera.

La mayoría de los videos han sido obtenidos de «YouTube» y se pueden acceder a ellos por Internet.

Es importante que cada drama, video y ejemplos cotidianos sean modificados de acuerdo al contexto de la nación donde se vaya a enseñar.

Ventana 4/14: 1.2+ billones de niños y adolescentes entre 4-14 años:

La ventana 4/14 es un movimiento mundial que se organizó en el 2008, bajo la inspiración del Dr. Luis Bush (quien también introdujo el término de la ventana 10/40). Se refiere al grupo demográfico más grande de «personas no-evangelizadas» —a nivel mundial— entre las edades de los 4 a los 14 años, cuando están más receptivos al desarrollo y formación espiritual.

El movimiento de la ventana 4/14 existe porque:

1. Los niños son el «grupo de personas no evangelizado» más grande del mundo y además el más receptivo a los asuntos espirituales y de desarrollo.

2. La Iglesia no entiende la importancia que Dios da a los niños.

3. Los niños que viven especialmente en pobreza, no tienen voz propia.

4. Los niños y los jóvenes son el potencial sin explotar más significativo; sin embargo, especialmente entre la edad de 11 y 18 años son la fuerza misionera más importante.

5. Es frecuente que los niños y los jóvenes son marginados cuando responden a la Gran Comisión.

6. La Iglesia debe aprender de la historia: cuando perdemos a los niños, al final perdemos la Iglesia, por lo tanto, estamos invirtiendo en el futuro de ella.

VISIÓN:

- La primera montaña o etapa (2009-2014) fue crear conciencia sobre el mayor grupo de personas no alcanzadas: los niños. Entonces Dios puso en nuestros corazones comenzar a escalar la segunda montaña o etapa. Debíamos ir más allá de la creación de conciencia y comenzar la tarea de equipar a las iglesias locales para arraigar (alentar, equipar, apoyar) a los niños y jóvenes en la palabra de Dios y Su misión (*Missio-Dei)* y hacerlos libres, como socios en las misiones, para hacer discípulos en su generación de manera integral.

MISIÓN:

- El movimiento ventana 4/14 busca involucrarse y asociarse con los niños y jóvenes para hacer discípulos de sus compañeros, hermanos y comunidades.
- Busca fortalecer a las iglesias y las familias para alcanzar, rescatar, enraizar, liberar a niños y jóvenes para que desarrollen todo su potencial e impacten y transformen a su sociedad.

VALORES FUNDAMENTALES:

1. Mente del Reino de Dios (un voluntariado, caracterizado por el servicio, el rigor y recursos (Filipenses 2).
2. Modelar e inspirar la unidad (Juan 17).
3. Modelo a seguir para niños y jóvenes (1 Tesalonicenses 1).
4. Valentía para afrontar riesgos (basada en la confianza y las promesas divinas - Josué 14).
5. Pasión por niños y jóvenes (Mateo 18 y 19).

Esfera #1: Familia

(Edades: Todas las edades se mezclan).

NOMBRE: «Compartir en familia con la comunidad».

TIEMPO: 1 hora y 30 minutos.

PRINCIPIO A REFORZAR: La familia revela el amor de Dios cuando todos sus miembros buscan el bienestar del otro y el de su comunidad.

ESCRITURA: Efesios 5:25; 5:22-23 y 6:1-3.

OBJETIVOS:

1. Crear entre los participantes un ambiente de comunidad, formado por grupos familiares, donde cada familia bendecirá a las otras.
2. Que los participantes puedan expresar el amor de Dios a través de dar a otros.

DESCRIPCIÓN DEL PROYECTO:

Cada grupo familiar participante trabajará en la preparación de varios elementos del almuerzo de este día, para crear un ambiente de comunidad. Así, cada familia bendecirá a las demás con su aporte.

INSTRUCCIONES PREVIAS AL PROYECTO:

1. Distribuir a los participantes en grupos de familia y asignar a cada grupo una responsabilidad para la elaboración del almuerzo y la decoración del lugar donde almorzarán. Se recomienda que cada grupo de familia sea formado por 4 a 8 participantes, y que se mezclen las edades para facilitar la integración y también la labor a realizar.

    a. Aquí le compartimos una sugerencia de la distribución de los grupos de familias de acuerdo a la actividad que estarán realizando.

	si se cuenta con 50 participantes, sugerimos la siguiente composición que denominamos FAMILIA. Se mezclan las edades.	Preparar:
Si cuenta con	1 familia de 5 chicos prepara:	Bienvenida y aderezo
	1 familia de 5 chicos prepara:	Ensalada verde
	1 familia de 8 chicos	Jugo de fruta natural
50 Participantes	1 familia de 8 chicos	Postre: pinchos de frutas
	1 familia de 6 chicos	Centros de mesa / cubiertos
	1 familia de 6 chicos	Silueta de familia estilo mosaico
	1 familia de 8 chicos	Serpentinas y cartel de bienvenida
	1 familia de 4 chicos	Escribir canción de bienvenida: tema la familia
Si cuenta con 100 Participantes	Distribución con base en 100 participantes	
	1 familia de 6 chicos prepara:	Bienvenida y aderezo
	1 familia de 10 chicos prepara:	Ensalada verde
	1 familia de 8 chicos prepara:	Jugo de fruta natural, fruta # 1
	1 familia de 8 chicos c/u	Jugo de fruta natural, fruta # 2
	1 familia de 8 chicos	Postre: pinchos de frutas
	1 familia de 10 chicos	Centros de mesa
	1 familia de 9 chicos	Cubiertos para 100 personas
	1 familia de 5 chicos	Silueta de familia estilo mosaico
	1 familia de 8 chicos	Serpentinas
	1 familia de 6 chicos	Cartel de bienvenida
	1 familia de 6 chicos	Escribir canción de bienvenida: tema la familia

En caso de que el número de participantes exceda a lo antes indicado, le sugerimos que añada otras actividades según su criterio, por ejemplo: escribir pensamientos de bendiciones para colocar en cada mesa y decorar el salón comedor con esas bendiciones. Lo importante es que puedan realizar las tareas a tiempo.

2. El facilitador de proyectos debe reunirse con el administrador de la cocina para dialogar sobre lo siguiente:

a. Comunicar la fecha en que se realizará el proyecto de familia y comunicar que los niños prepararán la ensalada, el aderezo, el jugo y el postre para la cantidad total de personas que almorzarán, por tal razón la administración de la cocina no elaborará ninguno de estos elementos del almuerzo en este día.

b. Preguntar a los expertos de cocina qué cantidad de alimentos se necesitarán para la cantidad total de participantes. Ejemplo: ¿Cuantas lechugas se necesitan para realizar la ensalada verde de un almuerzo para 50 personas, para 100 personas?

c. Saber con anterioridad los utensilios con los cuales se dispone para la realización del proyecto en cada actividad. Recuerde que cada niño debe contar con las herramientas necesarias para el cumplimiento de su responsabilidad. De esta manera, lo que no esté disponible en la cocina, se debe comprar o pedir prestado.

3. Lavar y desinfectar los alimentos antes de iniciar el proyecto. Se recomienda colocarlos en agua con limón o vinagre por unos 15 minutos, para desinfectarlos.

4. Preparación de las mesas de trabajo para cada familia.

    a. Se colocará de 1 a 2 mesas de trabajo por cada equipo de familia de acuerdo a la necesitad del espacio para todos sus participantes. Antes de comenzar el tiempo del proyecto de familia, cada mesa debe estar preparada con lo siguiente:

        i. Hoja de instrucciones o procedimiento de la actividad.

        ii. Dependiendo de la actividad: alimentos ya lavados y utensilios de cocina o material didáctico para cada niño.

        iii. Un letrero que identifique cada mesa con el número de la familia.

5. Cerca al área de la actividad se deben tener disponibles los siguientes artículos de limpieza:

    i. De 2 a 3 basureros tamaño grande.

    ii. Bolsas grandes de basura.

    iii. Traperos/mapos y cubos/baldes.

    iv. Escobas y recogedores.

    v. Trapo o paño de limpieza.

    vi. Detergente para superficies.

INSTRUCCIONES PARA LOS PARTICIPANTES:

Se explicará a los participantes que «el momento de expresar el amor de forma práctica como familias, ha llegado».

1. Se les dará una breve descripción del proyecto, explicando que: «en este día cada uno de ustedes trabajará en la preparación del almuerzo para disfrutar un tiempo de comunidad. Al dividirnos en grupos de familias tendremos la oportunidad de mostrar amor y bendecirnos unos a otros».

2. Para lograr esto, se mencionarán las actividades —previamente seleccionadas— que realizarán y se les dejará saber que serán divididos en grupos de familias junto a 1 ó 2 líderes de grupo.

3. Luego de entender en qué consiste la actividad, se les dividirá en sus grupos de familia, se les asignará un número y se les dejará saber qué parte del almuerzo de la comunidad estarán preparando. Ejemplo: Familia #1: a cargo de la bienvenida y los aderezos. La primera familia en presentarse debe ser la familia anfitriona que tendrá la responsabilidad de preparar los aderezos, dar la bienvenida, y presentar y orar por los alimentos.

4. Se les indicará el tiempo que tendrán para completar su actividad y limpiar su área de trabajo.

5. Se les guiará a su lugar establecido donde:

    a. El líder de grupo pequeño leerá las instrucciones y el procedimiento de la actividad.

    b. Se distribuirán las tareas entre los participantes. Es importante que cada niño tenga una tarea específica y los materiales necesarios para realizarla.

Al finalizar cada uno su labor, se reunirán en el «centro de actividades de la comunidad» o en la «plaza de la comunidad» (el comedor) para finalizar la decoración, organización de los alimentos a ser servidos y la limpieza del lugar.

6. Se dará inicio al tiempo de compartir entre familias a la hora del almuerzo, dirigido por la familia anfitriona.

Lista de actividades para la elaboración del almuerzo familiar:

1. Ensalada verde (lechuga, tomate, zanahoria, brócoli, entre otros).

2. Mensaje de bienvenida, hacer aderezo para la ensalada y dar bienvenida (vinagre, aceite de oliva, limón, cebolla, ajo y otros).

3. Jugo de toronja/mango natural ó la fruta en temporada, (toronjas/mango, envase «igloo», hielo, azúcar morena, colador, picador, cuchillo, guantes).

4. Postre: pinchos de frutas, (dos o tres frutas de temporada en su país). Si los marshmallows (malvaviscos) son económicos en su país, puede añadirlos como parte del pincho de frutas.

5. Centros de mesa y cubiertos (los centros de mesa pueden hacerse de vasos plásticos desechables, si resultan costosos los palitos que se sugieren).

6. Pensamientos con bendiciones para colocarlos en las mesas y en las paredes del comedor, en forma decorativa.

7. Silueta grande de la familia en estilo mosaico.

8. Serpentinas.

9. Cartel de bienvenida.

Nota importante: Las actividades y el menú pueden cambiar de acuerdo al país o la localización, las instalaciones, la disponibilidad de los materiales o ingredientes y la hora en que se realice el proyecto. También pueden tomar en consideración el presupuesto. Pero es importante ser creativos y darle la oportunidad para que cada niño participe. Estas actividades deben ser organizadas y realizadas en grupos de familias.

1. Preparación de ensalada verde: Familia # ______

2. Bienvenida de presentación y preparación del aderezo: Familia # ______

   Aderezo: Salsa vinagreta; bienvenida, presentación de los alimentos y oración.

   Mensaje de bienvenida: Al finalizar la elaboración del aderezo, los participantes elaborarán un corto mensaje de bienvenida original y creativo para luego presentar los alimentos y orar por ellos.

3. Preparación del jugo (usar frutas de la temporada/estación): Familia # _______

4. Preparación de pinchos de frutas: Familia # ______

5. Decoración de centros de mesa: Familia # ________________
Flores (de 4 a 6 por cada caja):

6. Pensamientos con bendiciones - Mensaje a las Familias: Familia # _____
a. Escribir en papeles de construcción mensajes cortos de lo que aprendieron en clase o versículos para bendecir a las familias.
7. Preparación de siluetas de familias al estilo mosaico: Familia # ______

8. Preparación de serpentinas/cadenetas y mensajes a familias: Familia# ____

9. Cartel/Poster: de bienvenida

Esfera #2: Gobierno

TÍTULO: «Anarquía, Tiranía y Autogobierno».

TIEMPO: 1.5 horas.

► Para la esfera de Gobierno, recomendamos que los pequeños entre las edades de 4-5 años participen en «tiranía» o simplemente observen de la actividad. Esta edad no debe participar en «anarquía».

PRINCIPIO PARA REFORZAR: El Gobierno revela la justicia de Dios, cuando sus leyes promueven dar a cada quien lo que se merece, según sus acciones.

ESCRITURA: Deuteronomio 1:9-17.

OBJETIVOS:
- Que los participantes puedan ver de forma práctica las consecuencias de un gobierno tirano y un gobierno anárquico.
- Que los participantes puedan experimentar lo desagradable que es vivir en un gobierno donde no se protege la libertad, la propiedad y la vida.
- Que los participantes puedan comprender que el autogobierno cristiano es el único camino (modelo para vivir en libertad garantizado por el Gobierno civil) el cual está en el corazón de Dios para las naciones.

DESCRIPCIÓN DEL PROYECTO/ACTIVIDAD:

Se realizarán dos actividades simultáneas con el propósito de que experimenten lo que es un gobierno tirano y un gobierno anárquico; un grupo será parte del gobierno tirano y otro del gobierno anárquico.

Definición de conceptos:

1. Anarquía: Estado de una sociedad donde no hay ley o poder supremo, donde las leyes no son eficientes, donde los individuos hacen lo que les place con inmunidad; es decir, sin castigo (Webster, 1828).

2. Tiranía: Ejercicio arbitrario y déspota del poder. Ejercicio del poder sobre sujetos con rigor, no autorizado por la justicia o por la ley. Es sinónimo de opresión y crueldad (Webster, 1828).

3. Auto-Gobierno: el principio de auto-gobierno cristiano (dominio propio) es Dios gobernando internamente desde el corazón del creyente. Para poder tener verdadera libertad, el hombre debe desear (voluntariamente) ser gobernado internamente por el Espíritu y la Palabra de Dios más que por presiones externas. El Gobierno es primeramente interno (causante), y se extiende entonces al exterior (efecto).

En esta actividad pasarán por experiencias representativas de la vida cotidiana, como lo son:
- ▶ Vivienda
- ▶ Educación
- ▶ Trabajo
- ▶ Recreación
- ▶ Alimento

INSTRUCCIONES PREVIAS AL PROYECTO/ACTIVIDAD:

1. Recomendamos que para esta se identifiquen dos posibles lugares para llevar a cabo esta actividad, preferiblemente al aire libre, o como una segunda alternativa, aulas de clase donde se ubicará cada gobierno.

2. Dividir el grupo total de participantes en dos grupos,intercalando las edades y fusionándolas.

3. Asignar perímetros o límites para cada equipo. Un lugar para tiranía y otro para anarquía.

4. Identificar y entrenar dos facilitadores para que puedan dirigir la actividad como presidentes de cada gobierno.

5. Entrenar a todos los líderes de grupo para el rol que les tocará jugar, según el gobierno que se les asigne.

6. En el Gobierno Anárquico: asegurarse de retirar o sacar los objetos que pueden provocar accidentes, ya que la actividad se presta para correr de un lado al otro, y/o robar la comida el uno al otro, etc. reflejando con sus acciones la anarquía.

7. En el Gobierno Tirano: la tiranía mantiene el orden a la fuerza. Aún así los participantes podrían revelarse, por lo que sugerimos igualmente, asegurarse de retirar o sacar los objetos que pueden provocar accidentes.

8. Ambos gobiernos, anarquía y tiranía necesitarán cartones para construir viviendas de cartón, pintura lavable o temperas, para que los participantes pinten sus viviendas.

9. Recomendamos a los *facilitadores*, antes de comenzar la actividad, recolectan cartones para que puedan distribuirlos a ambos grupos.

10. Tiranía, todas las casas deben ser iguales, uniformes.

Necesitarán 6 cartones de 4x4 pies (48 cm. x 48 cm.). En tiranía se forman grupos de 6 participantes y cada grupo representa una familia y le entrega 6 cartones a cada familia. Luego construyan la vivienda de acuerdo al diseño o modelo que el tirano les presentará.

11. Anarquía, se les entregan cartones de todos los tamaños, apilados en el lugar del terreno. Recuerden que aquí no existen las directrices. Cada cual hace «lo que quiere».

12. Se necesita escoger quién será la persona que actuará como «el tirano». Se necesita una persona que pueda dramatizar la personalidad de un tirano. Que pueda proyectar firmeza.

13. También se necesita un grupo de por lo menos 6 facilitadores que dramaticen el «ejército» del tirano; quienes van a hacer cumplir las órdenes del tirano y son los únicos autorizados para aplicar el castigo por la

desobediencia ante las órdenes del tirano. Se sugiere para el castigo o lagartijas, abdominales o flexiones y sentadillas.

Materiales:

A. Materiales Grupo de Tiranía:

- (1) Pito/silbato para el presidente.
- Sombrilla para proteger al presidente del sol.
- Material de la banda para el brazo, con símbolo: Papel traza y crayolas o marcadores.

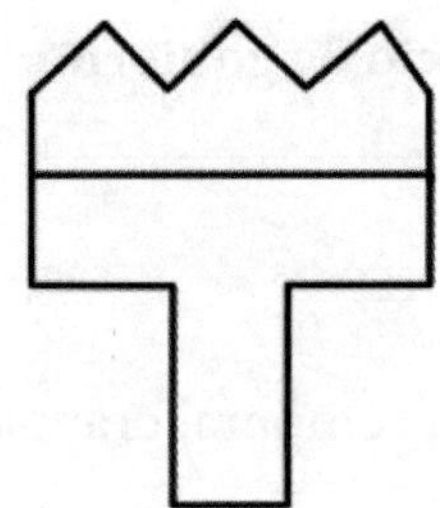

Materiales Grupo tiranía –sección vivienda:

- (6) Paneles de cartón por grupo de familia.
- Necesitarán 6 cartones de 4x4 pies (48 cm. x 48 cm.).
- En tiranía se forman grupos de 6 participantes y cada grupo representa una familia.
- El facilitador le entrega 6 cartones a cada familia.
- Construyen la vivienda de acuerdo al diseño o modelo que el tirano les presentará.
- (4) Paneles o cajas de cartón para construcción de la casa presidencial y para el capitolio.
- (1) Galón de pintura gris, en caso de que los niños sean los que van a pintar.
- Papel o plástico para proteger el suelo de la pintura.
- Brochas/pinceles.
- (1) Vaso o envase con pintura blanca; puede usar témpera, crayolas o marcadores de colores, para pintar la ventana y puerta de la casa.
- (1) Banda de identificación para cada participante.
- Tijeras (solo para el gobierno tirano; no se la da a anarquía).
- Papeles en blanco.
- Papel construcción.
- Un metro.
- Cinta adhesiva transparente, cintas de papel de color crema y gris.

Materiales Grupo tiranía - sección de la educación:

- (1) Hoja en blanco y lápiz por campista (pueden usar su carpeta).

Materiales Grupo tiranía - sección del trabajo:

- Materiales para la construcción de la casa presidencial: (si prefiere puede construir una maqueta en vez de una casa).
  - ► Cajas de cartón o paneles.
  - ► Tape/cinta adhesiva.

- Pintura de colores (o puede usar témpera, crayolas o marcadores de colores en sustitución de la pintura).
- Brochas.
- Pinceles.
- Papel construcción.
- Papel traza.
- Tijeras

Materiales Grupo Tiranía para la casa o palacio de gobierno: (si prefiere puede construir una maqueta en vez de una casa)

- Cajas de cartón o paneles.
- Tape/cinta adhesiva.
- Pintura de colores (o puede usar témpera, crayolas o marcadores de colores en sustitución de la pintura).
- Brochas.
- Pinceles.
- Papel construcción.
- Papel traza.
- Tijeras.

Materiales Grupo Tiranía para la preparación comida del presidente:

Nota: El alimento puede variar, según los recursos disponibles en su país.

Opciones:

Sándwich (emparedado) o ensalada de frutas:

- Pan, queso.
- Frutas
- Cuchillo
- Tabla de picar
- Envase para colocar las frutas
- Caneca para botar los desperdicios (cáscaras, semillas)
- Jugo
- 1 Vaso
- Hielo (opcional)
- Cupones
- Billetes de papel

Venta de galletas pro-fondo para el Estado:

- (1) Persona que será el vendedor de galletas.
- Galletas, suficientes para la cantidad de participantes que pertenezcan al gobierno tirano. (de 3-4 galletas por participantes o paquetitos de galletas).

Materiales Grupos de anarquía:

Grupo Anarquía: Vivienda

- (1) Panel de cartón por grupo de familia.
- Cajas de cartón.
- Se les entregan cartones de todos los tamaños, apilados en el lugar del terreno. Recuerden que aquí no existen las directrices. Cada cual hace «lo que quiere».

- Crayolas o marcadores de colores para cada familia.
- Papeles en blanco
- Papel construcción
- Cinta adhesiva transparente, cinta de papel de color crema y gris.

Snack o merienda: aproximadamente para la cantidad del Grupo de anarquía

- (1) Mesa
- Platos plásticos para colocar el mecato
- Servilletas
- Chips/mecato (lo que este dentro de su presupuesto) tales como «chips» de papas, galletitas, jugos, etc.

Instrucciones para los participantes:

1. Se explicará a los participantes que ha llegado el momento de experimentar cómo se vive en un gobierno tirano y cómo se vive en un gobierno anárquico.

2. Se les dirá que para lograrlo serán divididos en 2 grupos.

3. Se mencionan los grupos que corresponden al gobierno tirano y se les orienta al lugar donde su presidente estará esperándoles. Y aquellos restantes corresponden al gobierno anárquico.

Al finalizar el proyecto se tomará un tiempo para discutir con los participantes la experiencia que tuvieron durante las aprox. 2 horas de proyecto/actividad y así cumplir el tercer objetivo del proyecto. Se realizarán preguntas tales como:

- ▸ ¿Cómo era tu gobierno?
- ▸ ¿Cómo era tu gobierno en el área de la vivienda?
- ▸ ¿Cómo era tu gobierno en el área de la educación?
- ▸ ¿Cómo era tu gobierno en el área de la comida?
- ▸ ¿Cómo era tu gobierno en el área del trabajo?
- ▸ ¿Cómo fue tu experiencia?
- ▸ ¿Qué era lo bueno de tu gobierno?
- ▸ ¿Qué era lo malo de tu gobierno?
- ▸ ¿Cómo lo resolvería? ¿Qué solución le daría a la injusticia o al abuso que experimentaste?

Manejo del tiempo

Tiranía: Tendrá un horario establecido sin posibilidad a cambios, el cual estará dirigido solamente por el presidente electo, quien dará las instrucciones a través de un silbato/pito.

Anarquía: Habrá flexibilidad en el manejo del tiempo. A través de intervenciones de personajes, se llevará al pueblo a pasar por sus experiencias de vida. La intención de esto es ser consistente con la anarquía y dejar que cada individuo haga lo que quiera.

En el transcurso de los hechos, es necesario que se haga notoria la diferencia entre un gobierno y otro; que puedan ver que un gobierno permanece en disciplina y orden por temor a un hombre, mientras el otro es un caos completo.

Luego de haber dividido al grupo en dos, cada uno en sus respectivos lugares de trabajo, iniciará la actividad con el discurso inaugural de su grupo en particular. Se recalcará la propuesta gubernamental.

El Gobierno tirano leerá una propuesta presidencial:

- • «Como les prometí, les dije que les daría casa y lo haré, pero a mi manera: de la forma, el tamaño y el color que yo quiera.
- • Les prometí igualdad social, así que todas las casas serán iguales, con los mismos colores y el mismo diseño.
- • Les dije que todos serían educados, que no habría analfabetismo y así será. Todos aprenderán a leer lo que yo quiero que lean.
- • Les prometí trabajo para todos y yo les daré trabajo. Harán lo que yo quiera, cuantas veces yo quiera, y les pagaré el salario que yo quiera.
- • Les prometí orden, y lo haré, a mi manera y como yo quiera».

Para terminar el discurso se cantará el himno, en honor del tirano:

Himno al Tirano

I

La gloria sea a ti, nuestra patria esclava,
firme castillo que el tirano formó,

¡baluarte del pueblo que sirve a otro

a su dictadura nos conducirá!

Coro

A su victoria caminar,

vemos el futuro escrito ya.

¡Alzando bandera sin propia voluntad!

permaneceremos fieles.

sin pensar el precio a pagar;

¡vivo o muerto el tirano triunfará!

II

Nosotros formamos un pueblo para la batalla,

al necio, traidor, barreremos con él,

y en la batalla, sólo el TIRANO decide,

a nuestro destino sólo él nos llevará.

Coro

A su victoria caminar,

vemos el futuro escrito ya.

¡Alzando bandera sin propia voluntad!

permaneceremos fieles

sin pensar el precio a pagar;

¡vivo o muerto el tirano triunfará!

III

La gloria sea a ti, nuestra patria esclava,

firme castillo que el tirano formó,

¡baluarte del pueblo que sirve a otro

a su dictadura nos conducirá!

A su victoria y nada más,

vemos el futuro escrito ya.

¡alzando bandera sin propia voluntad!

permaneceremos fieles

sin pensar quién nos va a matar;

¡vivo o muerto, el tirano con la suya se saldrá!

El Gobierno anárquico leerá la propuesta (anárquica) **por un representante del movimiento:**

- Queríamos libertad y la tendremos.
- Queríamos placer y lo tendremos. Si no queremos ir a la escuela, no iremos.
- No hay leyes que restrinjan nuestras vidas y nos limiten.

- Podremos pensar como queramos pensar.
- No habrá más gobierno que nos oprima.
- Obtendremos todo lo que queramos.
- No habrá multas.

A continuación, se encuentra el desarrollo de las 6 áreas por las que pasarán los participantes.

Grupo de tiranía:

El presidente demandará que las familias previamente divididas se coloquen en fila, mirando hacia él. Exigirá completo silencio y será lo más serio posible. A cada participante se le asignará, con ayuda de los líderes de grupo, una banda por persona en el brazo derecho con un símbolo del partido del presidente o un número.

Símbolo:

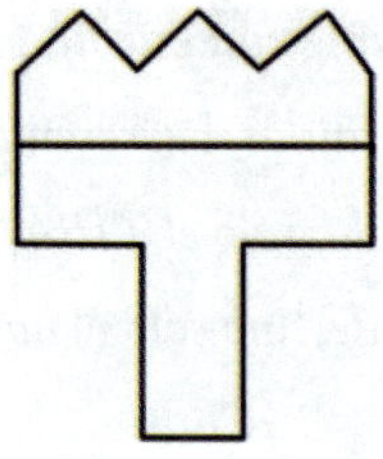

Vivienda en la tiranía:

Tiempo: 20 minutos.

Actividad: «Construir como quiera mi presidente».

Objetivo: Promover orden según lo establecido por el presidente, sin dar oportunidad a la creatividad de los individuos.

a. 2 minutos aproximadamente: Instrucciones dadas por el presidente: Les dirá que ha dividido en partes iguales el terreno. Y con un modelo previamente elaborado de las casas, cada familia deberá construirla y pintarla toda de color gris y la puerta de color blanco, al igual que los bordes de las ventaanas. En caso de no cumplir con las ordenanzas, recibirán un castigo directamente del presidente.

b. 15 minutos aproximadamente: Elaboración y pintura de la casa:

i. La familia prepara su área de trabajo con papel periódico o algún material para proteger el piso de la pintura.

ii. Inicia su vivienda midiendo, cortando y armando sus cartones.

iii. Pintan por completo tal como dijo el presidente.

c. 3 minutos aproximadamente: Recoger el área: Deberán limpiar sus brochas de pintar y pinceles con agua; recoger la pintura sobrante y llevarla al lugar previamente establecido.

Opción: Usted puede de antemano pintar el cartón de gris, y entregar a los participantes el cartón ya pintado.

SUENA EL SILBATO/PITO.

Educación en la tiranía:

Tiempo: 15 minutos.

Actividad: Educación: «Leer y memorizar».

Objetivo: Impartir una educación que parta de los principios humanistas y no de la cosmovisión cristiana.

1. 2 minutos aproximadamente: Instrucciones dadas por el presidente: Les dirá: así como lo prometí, daré escolaridad a toda persona. Mandaré que todos se sienten en orden, usando una fila por grupos de familias, y presentaré a la maestra que impartirá la clase del día.

2. 13 minutos aproximadamente:

a. Estudio del día: Filosofía sistemática del tirano.

El maestro tirano debe estudiar esta información, para que durante la clase pueda hablarla con fluidez, y detallar algunos puntos. Recuerde que con esta actividad queremos mostrar un gobierno tirano a los participantes. Que puedan aprender que operan y piensan, contrario a los cristianos, que rechazan a Dios y a la religión.

INTRODUCCIÓN:

Para la supervivencia humana se necesitan medidas inteligentes, que sólo el hombre inteligente puede hacer.

La meta suprema de la raza humana es y debe ser, preservar la vida de los más inteligentes, los más fuertes, los grandes. Los pequeños, los débiles y pobres son estorbo de la humanidad. Ellos deben servir de abono a la tierra.

Los valores de un humanista harán posible demostrar el espíritu creador del hombre, eliminando a su creador; con su propia mente, capacidad y poder.

A. RELIGIÓN:

1. Las religiones le hacen daño al ser humano.

> ▸ Toda creencia en un dios, en lo sobrenatural y lo espiritual provoca al hombre, al niño y al joven limitar su capacidad mental; lo embrutece y lo aleja de la realidad.

> ▸ Las religiones nos impiden ayudarnos unos a otros. Provocan división entre la familia, vecinos y compañeros. Las religiones apestan a humo.

> ▸ Estoy harto de todas las religiones. La religión ha dividido a la gente. «No creo que haya diferencia entre el papa usando su sombrero grande, paseando entre feligreses con una cartera humeante, y un africano pintándose la cara blanca y rezándole a una piedra».

> ▸ La religión es la causa de grandes problemas de violencia y muerte en nuestro país. Por causa de tantas religiones y sus diferencias, nos estamos matando como animales. No necesitamos de Dios.

> ▸ Dios y las religiones tradicionales son los principales obstáculos al progreso humano. Vivimos en un mundo que cambia todos los días. Así que no podemos mantener principios y reglas de un libro que se escribió hace más de 4000 años.

> ▸ La religión es como una escalera, nos puede ayudar mucho, pero también, si no está bien puesta, puede hacer que caigamos y nos lastimemos.

2. No se encuentra evidencia en la existencia de lo sobrenatural.

> ▸ Gracias a la inteligencia de nosotros, los hombres en la ciencia hemos encontrado cero pruebas de un dios en el universo.

> ▸ No es posible creer en la existencia de Dios, pues consideramos que el hombre no fue creado a imagen y semejanza suya. Es tonto creer que Dios haya sido humano o haya existido.

▶ Si Dios existe, que me hable. Si Dios es tan poderoso, ¿puede hacer una roca tan pesada que él no pueda con ella? Si Dios está aquí, ¡pues que prenda la luz! El hombre creó a Dios y no Dios al hom bre, aunque la mayoría crea lo contrario.

▶ La evidencia que encontramos es que vinimos al mundo gracias a los monos y su inteligencia. Ellos nos enseñaron a ser animales ordenados y civilizados. Y ¡qué pena que hoy tratamos a los monos como animales! ¡Qué malagradecidos somos!

▶ No hay evidencia creíble de la vida después de la muerte. Simplemente, mueres y te conviertes en polvo de la tierra, justo de donde saliste, como dice la Biblia. ¡Ups! Así que mientras vivamos, viva mos sólo para nosotros mismos. Creer en Dios, es perder el tiempo de nuestra hermosa y valiosa vida.

▶ Como ateos, nuestro comienzo es con el hombre mismo, no con Dios, con la naturaleza, no con el cielo. ¡Dios está muerto!

3. Ninguna deidad nos salvará.

▶ Si de algo debemos salvarnos, es de las reglas impuestas por los religiosos moralistas que quieren hacernos esclavos.

▶ Las promesas de una salvación inmortal o el miedo a la eterna perdición, son ambas ilusiones, y hacen daño a la salud mental de los hombres.

▶ Toda idea sobrenatural nos distrae de las preocupaciones reales de nuestro día. Se ponen a mirar para el cielo, mientras debieran estar caminado en la tierra. ¡Despierten!

4. ¿Para qué creó Dios el universo?

▶ ¿Quizá por curiosidad para ver qué pasaba?

▶ ¿Tal vez, para compartir con otros seres su plenitud y sentirse menos solitario o egoísta? Nueva mente volvemos a lo mismo; un ser perfecto no tiene defectos, no necesita nada más que a sí mismo.

▶ ¿Está dispuesto Dios a prevenir la maldad, pero no puede? Entonces no es Omnipotente. Y la gente se lo cree.

▶ ¿Puede hacerlo, pero no está dispuesto? Entonces es malo. ¿Es capaz y además está dispuesto? Entonces, ¿de dónde proviene la maldad?

▶ ¿No es él capaz ni tampoco está dispuesto? Entonces, ¿por qué llamarlo Dios?

Todo valor moral sale de la mente del hombre.

▶ La ética es única del hombre. Él la creó.

▶ No necesitamos aprobación teológica o divina para tomar decisiones en nuestra vida.

▶ La razón y la inteligencia son los instrumentos más efectivos que poseemos. No hay substitutos, ni la Biblia, ni la fe, ni la oración son suficientes para el éxito del hombre en la tierra.

B. EL INDIVIDUO

1. El hombre y la mujer tienen derecho individual sobre su cuerpo.

EL aborto:

- Debe permitirse. La mujer tiene derecho a disponer de su cuerpo. ¡Sí, sí, sí!

- Nadie sabe cuánto una criatura sufre cuando nace en un hogar que no está listo para criarlo.

- EL aborto es un acto de justicia para la misma vida que estás matando. Si esa vida viene a sufrir hay que matarla. Repitan: El aborto es justo. Matemos a los niños desde el vientre de la mamá.

- Un niño no es una persona, ya que en realidad no es dueña de sus decisiones.

- El feto joven en el vientre de la mujer, ni siquiera tiene un cerebro formado completamente. Por lo tanto, no existe «alguien», sólo «algo», hasta que se demuestre lo contrario.

- Los seres humanos no deberían tener derecho a la vida por el mero hecho de serlo. Las personas sí.

Matrimonio homosexual:

- Estas personas son iguales a nosotros. ¿Por qué negarle un derecho que ellos tienen?

- Ellos no le hacen daño a nadie. Esa es su intimidad, nada más.

- A cada persona se le debe permitir expresar sus deseos sexuales y llevar sus estilos de vida como ellos quieran. ¡Pobres homosexuales!

- El SIDA no es una enfermedad homosexual. El Gobierno tiene la culpa del SIDA y también las personas que odian a los homosexuales.

- El estilo de vida homosexual es tan saludable como cualquier otro estilo de vida. No representa ninguna amenaza a la sociedad.

Sociedad: El maestro dice que quiere que el presidente sea quien exponga la próxima área a su pueblo. Deja claro que cada vez que el tirano diga: ¡El poder sea dado al tirano!, ellos deberán repetirlo una sola vez.

Discurso: El presidente leerá su discurso para terminar la clase

DISCURSO DEL TIRANO:
EL PODER SEA DADO AL TIRANO

¡Queridos ciudadanos, camaradas! Hasta el día de hoy nuestro sistema político estuvo en manos de estos capitalistas libres. Los capitalistas, en cuyas manos descansaba el poder, desean una república libre, con derechos para que el pueblo, ustedes, pueden hacer lo que quieran.

Nosotros deseamos una república diferente, una que vaya más acorde con los intereses del pueblo, con un dictador y un tirano que los dirija claramente a un destino seguro, de prosperidad y libertad. ¡El poder sea dado al TIRANO!

Los trabajadores del pueblo revolucionario hemos derrotado al gobierno libre,
hemos limpiado la capital de toda mancha de libertad.
¡El poder sea dado al TIRANO!

Los obreros de todo el mundo ven con orgullo la tiranía de nuestro pueblo,
como la esperanza del la prosperidad, orden y seguridad.
¡El poder sea dado al TIRANO!

Nuestra revolución tirana, una vez iniciada, debe ser fortalecida, alimentada
y desarrollada por ustedes mismos, el pueblo esclavo voluntario.
¡No debemos permitir la desobediencia de los traidores!
Debemos defender la tiranía con nuestra propia vida,
y la MUERTE será el fin del que nos traicione.
¡El poder sea dado al TIRANO!

De oriente a occidente, de norte a sur,
hasta cada cuadra de la capital, debe pertenecer al TIRANO.
Escogido por el pueblo de una forma diferente, con la meta de servir a un pueblo
que hará lo que éste le diga.
El poder unificador de nuestro pueblo,
debe ser concentrado en aquellos que el TIRANO llame a ser sus seguidores;
a una asamblea, aunque no importa el nombre que se le ponga.
¡El poder sea dado al TIRANO!

El pueblo no responde ante ningún problema, a ninguna necesidad,
para eso existe el poder TIRANO que ustedes han escogido de forma especial.
La revolución la hace el ejército que obedece al TIRANO, no al pueblo.
¿Queremos orden?, pues deben obedecer al TIRANO permanentemente.
Pueblo esclavo y voluntario, separados de mí nada podéis hacer.
Soldados cansados y cargados, vengan a mí, su gobierno, que yo los haré descansar.
¡El poder sea dado al TIRANO!
Sólo el poder dado al TIRANO y a sus seguidores, puede resolver el gran problema de nuestro pueblo
de una forma rápida, sin impedimentos, sin oposición, sin críticas.
La tierra no puede pertenecer a todos por igual.
Debe ser del más inteligente, el más poderoso.
¡El poder sea dado al TIRANO!

Soy yo y los que yo escoja quienes establecerán el orden necesario,
pero la obediencia a mi autoridad debe ser respetada sin excusas
por los obreros, campesinos, soldados, médicos, abogados, maestros,
niños, padres, madres, en fin, por todos.
¡El poder sea dado al TIRANO!

No necesitamos un pueblo libre, no necesitamos un gobierno con libertades,
necesitamos control para que haya orden, seguridad
y se cumpla el futuro de nuestro pueblo.
Nuestro norte es conducir nuestro poder y tiranía
a una guerra por la dominación del mundo.
Esa es la necesidad del hombre y a eso vamos a marchar quiéranlo o no.
La paz se convierte en pecado cuando la guerra es nuestro propósito y nuestro llamado.
¡El poder sea dado al TIRANO!

Cientos de millones de personas, casi de todos los países del mundo,
han sido arrastrados a esta criminal injusticia de la libertad,

trayendo muertes, hambre, ruinas a los pueblos.

Hay un solo camino para salir de esta temible guerra

y concluir con una verdadera paz, solo que impuesta por la fuerza,

impuesta por el TIRANO.

¡El poder sea dado al TIRANO!

¡UN PUEBLO LIBRE ES UN PUEBLO ESCLAVO!

¡UN PUEBLO ESCLAVO VOLUNTARIO, ES UN PUEBLO LIBRE!

¡El poder sea dado al TIRANO!

B. ARTE

Dibujarán a un presidente simulando dar una instrucción.

C. Organización:

Se les ordenará guardar todos los útiles escolares en sus bolsos, sin que queden cosas desorganizadas.
SUENA EL SILBATO/PITO.

TRABAJO EN LA TIRANÍA:

TIEMPO: 22 minutos.

ACTIVIDAD: «Buscar el bienestar del presidente».

OBJETIVO: Que los participantes de forma práctica puedan experimentar que la razón por la cual el Gobierno provee trabajo es buscar su propio bien.

1. 3 minutos aproximadamente: Instrucciones dadas por el presidente: así como lo prometió, «dará empleo a cada ciudadano. Le distribuirá a cada grupo responsabilidades, las cuales se basan en la construcción de»:

a. La casa presidencial: Les dirá que construyan una casa grande (pueden construir una maqueta en vez de una casa), bella, con jardines y que sea tres veces más grande que las que tiene el pueblo.

b. La casa de gobierno: Les instruye que quiere ver la mejor casa de gobierno que jamás en la historia haya existido. Muchas oficinas, bibliotecas, centros de reunión, salones de fiesta para él y sus amigos, entre otros detalles.

c. La comida del presidente para poder seguir sirviendo al pueblo: Les dice que él necesita continua mente ingerir sus meriendas, y es por ello, que este grupo trabajará en la elaboración de las mismas. Un buen presidente necesita estar bien alimentado y saludable para poder dar más años de vida al pueblo.

Les enseña los materiales necesarios previamente preparados y se sienta a mirar la labor.

2. 15 minutos aproximadamente: Desarrollo de las responsabilidades: Divididos en sus grupos de trabajos deberán ejecutar la ordenanza del presidente.

3. 4 minutos aproximadamente: Recoger el área:

a. Colocar cada material y herramienta de limpieza en su lugar indicado.

b. Mientras los participantes trabajan, el presidente debe reflejar comodidad, sentado en una silla confortable y servido por personas (del personal de trabajo) que le traen su merienda.

c. Al finalizar el trabajo, se unirán en sus grupos de familia.

d. El presidente, inspecciona los trabajos.

e. Luego de inspeccionar la labor realizada, de no aprobar, por no encontrar el trabajo como él requería, pagará un salario injusto (representativo, de acuerdo al país donde se lleva a cabo esta actividad) y 3 cupones por familia; uno será destinado para el alimento que les prometió, otro para la recreación de la familia y el otro para colaborar con el Estado, comprando unas galletas.

SUENA EL SILBATO/PITO.

Recreación en familias en la tiranía:

TIEMPO:13 minutos.

ACTIVIDAD: «Recreación en familia con el presidente».

OBJETIVO: Que los participantes vivan la experiencia de la intervención del gobierno aún dentro de la institución familiar.

1. 3 minutos aproximadamente: Instrucciones dadas por el presidente: Les explica que tendrán la oportunidad de hacer otras cosas y compartir en familia. Sin embargo, él será la persona que dirá cómo se llevará a cabo esto.

2. 10 minutos: Opciones: jugar cualquier deporte; el mismo dependerá de las facilidades y el país donde se encuentran; (fútbol, baloncesto, dinámicas de juegos, etc). Recuerde que los mismos serán supervisados y dirigidos por el tirano.

Mientras estas actividades se llevan a cabo, habrá un vendedor de galletas para levantar fondos para el gobierno. Las familias darán sus cupones y se les entregará la galleta.

SUENA EL PITO/SILBATO.

Alimentos en la tiranía:

TIEMPO: 20 minutos.

ACTIVIDAD: «Merienda para todos».

OBJETIVO: Comprender que en la tiranía cada persona recibe lo que el dictador dictamine.

En el comedor el grupo de tiranía se sentará en un lado y el anárquico en otro.

1. 5 minutos aproximadamente: Instrucciones dadas por el presidente: El presidente ordenará que sus ciudadanos se laven las manos, entren en orden, les recordará la necesidad de los cupones para poder comer y les dejará saber el lado en que les corresponde sentarse (con ayuda de los líderes).

2. 8 minutos aproximadamente: Pasan primero los tiranos, cada uno con sus cupones y el presidente se asegura que la porción sea igual para todo su pueblo. Mientras tanto, al presidente se le sirve comida variada y en mucha cantidad.

3. 5 minutos aproximadamente: Disponibilidad de tiempo para merendar.

4. 2 minutos aproximadamente: El presidente luego de haber terminado de comer, les da la instrucción de dirigirse al lugar de la próxima actividad.

De esta forma, los participantes podrán ver la diferencia en el orden y estructura de este grupo, en comparación a los participantes del gobierno anárquico, quienes durante toda la merienda y después de ella estarán en completo desorden.

Es importante que todo el liderazgo esté pendiente para que los participantes del gobierno tirano estén alertas a las instrucciones del presidente, las reciban como un privilegio y mantengan este mismo comportamiento durante toda la actividad. Además, deben estar pendientes por que los niños siempre tengan consigo sus cupones.

Grupo de anarquía:

Los anarquistas creen que el mayor logro de la humanidad es la libertad del individuo para poder expresarse y actuar sin que se lo impida ninguna forma de poder, por lo que es básico resistir o derrotar todo tipo de gobierno. En este grupo no habrá un presidente como tal, será una persona que jugará el papel de un representante que apoye este movimiento.

Vivienda en la anarquía:

TIEMPO: Aquí no existe el tiempo, como en todo es anarquía.

ACTIVIDAD: «Hago la casa que yo quiera» (cada participante construye su casa como así lo desea, no hay reglas).

OBJETIVO: Proveer completa libertad para construir su casa en forma, espacio y color, sin importar las consecuencias que implique.

1. El representante les mostrará el lugar y su disponibilidad para aquellos que desean tener su vivienda. Se tendrán preparados paneles de cartón para cada grupo de familia, todos con diversos tamaños y formas. «Cada uno podrá elegir los que quiera y sin instrucción alguna de tiempo, harán sus casas/viviendas como bien les parezca».

2. Durante la creación de sus viviendas el representante y sus líderes tendrán una actitud de indiferencia ante las decisiones que los participantes tomen. Reina la indiferencia, aunque:

- Se dé el robo.

- Muestren apatía.
- Haya peleas, entre otros comportamientos.

Intervenciones del personal:

Durante todo el proceso, «es necesario que se promueva el abuso de la libertad sin intervención de autoridad alguna». Un ejemplo puede ser el robo, el uso inapropiado de los artículos de cada persona (como por ejemplo usando la silla de otro sin permiso). «Se puede colocar una mesa con alimentos, libre para los que deseen comer». Y los líderes de grupo junto al representante anárquico pueden acercarse a comer e incluso invitar a los que estén cerca de ellos a comer.

POEMA

Hoy y mañana me levanto tarde
voy a quemar mis libros,
¿a quién le importa la escuela?
no haré las asignaciones.

Voy a tomar el metro sin pagar
ni el cinturón del auto voy a usar
si muero ¿a quién le va a importar?

Nada de medicinas, si de algo me tengo que morir.
no me importa nada en mi país
lo que quiero es existir, nada más, ¡existir!

No demos el diezmo
no paguemos el impuesto al Estado.

Voy a robar la tienda de la esquina,
qué importa si nos ven, tengo hambre,
y total, es sólo una gaseosa y unas golosinas.

Somos libres para hacer lo que queramos
somos libres, somos humanos…
Así fuimos creados…

Educación en la anarquía:

TIEMPO: No aplica.

ACTIVIDAD: «¡Porque somos anarquistas!».

OBJETIVO: Mostrar que la educación trae libertad de pensamiento, incluso educar a los pequeños con filosofías de revolución contra la autoridad.

1. Con la intervención inesperada de un ayudante, se traerá al área de la educación a toda la comunidad anárquica.

2. Se mostrará a un maestro filósofo que lee ideas y las discute a quienes le presten atención.

3. Mostrará a lo largo de su exposición, completa oposición a la enseñanza de preceptos morales basados en un ser supremo y respeto a los demás.

4. Debe mantener su posición y propiciar diferencias de pensamiento con los participantes, para que ellos reflexionen en cómo están viviendo y empiecen a rechazar el sistema de vida anárquico.

Ideas que lee el maestro filósofo:

¿Qué es la anarquía? ¿Por qué somos anarquistas?

Mucha gente se pregunta por qué los anarquistas somos así, o por qué deseamos la destrucción del Estado y de las leyes. Bueno, esto tiene una respuesta muy sencilla, si se comprende antes lo que para nosotros significa anarquía. Para empezar, debe quedar claro ¿qué NO es anarquía?

La anarquía no es caos, no, no, no…

Anarquía no significa desorden. Su significado es «sin gobierno, sin leyes, sin estructura, o sea un caos ordenado…», y cuando nos referimos a ella (la anarquía), entendemos que no es necesario un gobierno, un estado o una autoridad para imponernos un orden. La realidad es que no necesitamos autoridad, no necesitamos leyes, cada uno puede gobernarse a sí mismo como quiera. Así será establecido el orden y la libertad.

Todo Gobierno o Estado predica que él es necesario, pues, sin él, todo sería desorden, caos, reinaría sólo la ley del más fuerte, etc. No necesitamos el Gobierno, no necesitamos leyes de otros, sólo el orden que nosotros queramos establecer, cada cual con su propio pensamiento. ¡Libertad es vivir sin ley!

La anarquía es la máxima expresión de un orden solidario y justo para todos; sin leyes, sin autoridad, sin una opresión que dirija nuestros pasos. Como todos nos amamos y nos valoramos, no necesitaremos leyes impuestas por ningún político que controle nuestro comportamiento. ¡Libertad es vivir sin ley, en caos ordenado!

Por «anarquía» entendemos la organización de la sociedad, donde nadie posee autoridad, y por tanto, nadie oprime a nadie por ser la autoridad. Una sociedad donde la libertad y la igualdad de todos sea respetada por todos, para que todo el mundo haga lo que bien le plazca en medio de la hermandad, la confianza y la cooperación que nos une.

La anarquía nos lleva a expresarnos libremente, sin importar las consecuencias que tenga eso sobre otros. Lo que importa es ser completamente libres. Ser libre es llevar una vida digna, sin las restricciones que la autoridad y los Estados ejercen sobre nosotros. ¡Libertad es vivir sin ley, en caos ordenado!

La anarquía es la ley del más fuerte.

Anarquía es solidaridad, es apoyo mutuo, claro, siempre y cuando estemos de acuerdo. Si estamos en desacuerdo, entonces predominará el más fuerte, pero con un orden establecido por (pausa)... ¿Qué importa?... ¡si estamos en una anarquía!

Nacimos completamente libres, con la capacidad de tomar dediciones individuales, sin necesidad de someternos a nada ni a nadie. Establecer límites a la voluntad del ser humano va en contra de su valor como ser humano. Por lo tanto, amar es dejar ser libre a todo ser humano sin demandarle cumplir ley alguna. Todos nosotros, hombres y mujeres somos nuestros propios jueces. Todos debemos estar de acuerdo con esta idea. De lo contrario esto será un desorden. ¿Alguien se opone?

Creo que ha quedado bastante claro lo que significa anarquía, pero si no, lo repito:

Anarquía es la organización de la sociedad basada en el apoyo mutuo, ordenado... aunque no sabemos cómo y quién lo organiza... y la solidaridad para con nuestros hermanos, una sociedad donde la libertad y la igualdad sean sus valores reales, no ficticios. La libertad y la igualdad no las defiende ninguna autoridad, ningún gobierno, ningún ejército, por eso consideramos que todos ellos son inútiles y perjudiciales. Las defendemos nosotros con nuestro propio orden, autoridad y gobierno. Y nosotros mismos pondremos las leyes, cada uno cooperará. ¿Quedó claro?

Bases de la anarquía popular:
1.   Rechazamos toda norma social y jurídica que interfiera con la libertad del individuo.
2.   Rechazamos al Estado, al Gobierno y toda institución que ejerza poder sobre la voluntad del hombre.
3.   Rechazamos la propiedad privada de los más poderosos.
4.   Apoyamos la liberación sexual, femenina y religiosa.

Se sugiere que la persona que represente esta área cuente con 30 a 45 minutos aproximadamente. Teniendo presente, que se espera que la mayoría haya terminado su vivienda.

Trabajo en la anarquía:

TIEMPO: No aplica.

En la anarquía el sometimiento a la autoridad laboral implica esclavitud económica bajo el yugo de un beneficiario. Por lo tanto, no se asignará tiempo ni ningún tipo de trabajo para estos participantes. Sólo se crearán situaciones en las que los participantes puedan decidir trabajar o no; por ejemplo, limpiar un jugo que se cae al suelo.

Cualquier persona de la comunidad anárquica podría limpiarlo si quisiera, si no, se queda sucio hasta el final, promoviendo así mayor desorden y suciedad.

Recreación familiar en la anarquía:

TIEMPO: No aplica.

ACTIVIDAD: «Pásala como quieras».

OBJETIVO: Que los participantes puedan ver la falta de orden aún en medio de un tiempo de recreación y descanso.

Para llevar a cabo esta área de vida en los participantes, el representante de este grupo hará una invitación abierta a disfrutar y pasarla bien en el deporte que aplique, de acuerdo al país donde se lleva a cabo esta actividad (futbol, baloncesto, etc). El tiempo para esta actividad será aproximadamente el mismo tiempo que el grupo de tiranía se encuentre en recreación. Esto es para que puedan ver la diferencia entre un gobierno y otro.

Alimentos en la anarquía:

TIEMPO: No aplica.

ACTIVIDAD: «Lo que me guste y lo que yo quiera».

OBJETIVOS: Que los participantes puedan experimentar el caos del desorden aún al momento de merendar.

El grupo de los anárquicos recibirá su merienda al mismo tiempo que el grupo de los tiranos reciben la suya. Recibirán porciones desiguales. Para algunos habrá una porción de la merienda mientras otros la recibirán completa. De igual forma, para algunos habrá utensilios y para otros no. Esto se debe al desorden del sistema anárquico.

Esfera #3: Educación

TÍTULO: «La biblioteca, un lugar de estudio y aprendizaje».

TIEMPO: 1 hora y 30 minutos.

PRINCIPIO PARA REFORZAR: La educación revela la sabiduría de Dios cuando enseña a aplicar el conocimiento en todas las áreas de la vida para promover el bien.

ESCRITURA: 2 Timoteo 3:14-17

OBJETIVOS:

• Que el participante pueda ver de forma práctica, cómo Dios ha puesto la sabiduría a disposición del hombre.

• Que el participante pueda experimentar, que el buscar la sabiduría y ponerla en práctica en su propia vida, alumbra su entendimiento y lo capacita para diferentes funciones en el futuro.

INSTRUCCIONES PREVIAS AL PROYECTO/ACTIVIDAD:

1. Identificar tres lugares, preferiblemente salones o aulas de clases, con lo siguiente:

   ► Pupitres o mesas con sillas para cada participante y el personal.

   ► El grupo #2 y #3, deben tener de antemano las sillas divididas en grupos pequeños.

   ► Pizarra con marcadores o tiza.

2. Identificar y entrenar a tres facilitadores, hasta que entiendan el contenido del material a trabajar, y puedan dirigir la actividad.

   ► La cantidad de facilitadores aumentará, de acuerdo a la cantidad total de participantes por grupo.

   ► Se recomienda 1 Facilitador por cada 4 niños de 4-7 años.

   ► Se recomienda 1 Facilitador por cada 6 niños de 8-12 años y de 12- 14 años.

3. Dividir el grupo total de participantes en tres (3) grupos por edades. Cada uno de estos grupos se dividirá en sus grupos pequeños.

   ► *Grupo # 1:* de 4 a 7 años. Si son más de 15 participantes entre los 4-7 años se recomienda dividir el grupo en dos salones o aulas de clases, para un mejor manejo de grupo.

> *Grupo # 2:* de 8 a 12 años.

> *Grupo # 3:* de 12 a 14 años.

4. Los facilitadores encargados deberán estudiar su proyecto, y cómo enseñarlo, previo a la actividad.

> Facilitador del grupo #1: Deberá leer la historia de Heidi y las instrucciones para llevar a cabo el proyecto.

> Facilitador del grupo #2: Deberá estudiar las instrucciones de cómo realizar un estudio de palabras y su importancia.

> Facilitador del grupo #3: Deberá estudiar cómo realizar un estudio de biografías y leer la biografía del proyecto.

> Preparar los salones o aulas de clase, de acuerdo a la actividad que a cada uno le corresponda.

5. Grupo # 1: Lectura del cuento de Heidi, capítulo 10.

- Colocar música instrumental clásica mientras se lee el cuento.
- Preparar letreros que digan:
- BIBLIOTECA, UN LUGAR DE ESTUDIO Y APRENDIZAJE.
- TRABAJAR EN VOZ BAJA.

6. Grupo # 2: Estudio de la palabra «Sabiduría».

- (1) Biblia, 1 lápiz y 1 carpeta por participante.
- (1) Hoja de estudio de palabras para completar por el líder del grupo pequeño.
- (1) Hoja de estudio de palabras para contestar por participante.
- (2) Concordancias como mínimo por grupo pequeño.
- Preparar letreros: BIBLIOTECA, UN LUGAR DE ESTUDIO Y APRENDIZAJE, TRABAJAR EN VOZ BAJA.
- Crayolas y colores.
- (1) Fotocopia del dibujo a colorear.
- (1) Equipo de sonido/bocina o reproductor de música.
- Música instrumental clásica.

7. Grupo # 3: Estudio de biografías.

- (1) Biblia, 1 lápiz y 1 carpeta por participante.
- (1) Biografía por participante.
- (1) Foto a color del personaje en estudio.
- (1) Copia por participante, del dibujo de la persona en estudio para colorear.
- Copias del formulario de estudio de biografías para contestar.
- (1) Equipo de sonido/bocina o reproductor de música.
- Música instrumental clásica.
- Letreros: BIBLIOTECA, UN LUGAR DE ESTUDIO Y APRENDIZAJE, TRABAJAR EN VOZ BAJA.
- Crayolas y colores.

Nota para todos los grupos:

Colocar los letreros en sus respectivos lugares. Los que anuncian biblioteca, deberán ir en la puerta de entrada de los salones asignados, y los otros serán colocados dentro del salón, en las paredes. La cantidad de letreros puede variar. Esto se recomienda para ambientar el aula o salón de clase, como si fuera una biblioteca.

Instrucciones a los participantes:

1. Se explicará a los participantes, que ha llegado el momento de poder conocer y aplicar a su vida la sabiduría de Dios; a través de la lectura de un cuento, el estudio de palabras y un estudio de biografía.

2. Se les dirá que para poder lograrlo, serán divididos en 3 grupos por edades; cada grupo con un facilitador y líder de grupo pequeño correspondiente.

3. Se anunciará la división de los 3 grupos y de los grupos pequeños. Además, se especificará el nombre del facilitador a cargo.

4. Se les hará saber el tiempo que tendrán para completar su actividad.

5. Cada facilitador guiará a su grupo, al lugar de trabajo previamente establecido.

Descripción del proyecto/actividad:

Se realizarán tres (3) actividades simultáneas, de acuerdo a las edades de los participantes. En las tres actividades, los niños y adolescentes pasarán por todos los pasos del proceso de aprendizaje, a los cuales se les denomina «4 R» (por sus siglas en inglés) método que promueve el aprendizaje reflexivo descrito a continuación:

a. *Investigar:* Estudiar, explorar las asignaturas y tópicos de interés en la Biblia, libros y otras fuentes, para identificar los principios básicos (Hechos 17:11).

b. *Razonar:* Conforme se investiga el tema, nos debemos preguntar ¿cuál es la perspectiva y el propósito de Dios para este tema? y ¿qué revela esta información acerca de la persona de Dios y su propósito? (1 Corintios 13:11; Isaías 1:18).

c. *Relacionar:* A medida que estamos investigando y razonando, debemos relacionar las verdades descubiertas, con nuestras propias vidas o con la situación que enfrentamos (Lucas 24:35).

d. *Registrar:* Los principios, las verdades descubiertas y relacionadas deben ser registradas, escritas para conservarlas correcta y permanentemente (Habacuc 2:2).

A continuación, se facilitan 3 herramientas diferentes, que promoverán su aprendizaje: Lectura de Cuento, Estudio de Biografía, Estudio de Palabras.

GRUPO #1: LECTURA DE CUENTO

EDADES: 4 a 7 años

TIEMPO: 1 hora y 30 minutos.

LECTURA: Capítulo #10: «La abuela de Clara» del cuento clásico Heidi. (pág 39).

OBJETIVO DE LA LECTURA: Instruir a los niños que aprender a leer, puede trasladarles a lugares nuevos y enseñarles cosas nuevas.

PRINCIPIO: Saber leer aporta una gran libertad a nuestra vida.

ESCRITURA: «Y puestos de pie en su lugar, leyeron el libro de la ley de Jehová su Dios... y adoraron a Jehová su Dios» (Nehemías 9:3).

Distribución del tiempo:

a. 15 minutos aproximadamente: Investigar: Lea el capítulo 10 del cuento y simultáneo a esto, que el niño vaya dibujando según interpreta el cuento en su mente. Mientras se realiza la lectura se colocará música instrumental de fondo.

b. 15 minutos aproximadamente: Razonar: Hable sobre las ideas principales del capítulo usando preguntas, tales como: ¿por qué pensaba Heidi que no podía aprender a leer?, ¿cómo resolvió este problema la abuela de Clara?, ¿por qué ahora Heidi sí fue capaz de leer?, ¿qué libro le dio la abuela Sesemann a Heidi?, ¿cuál de las historias bíblicas era la favorita de la abuela?

c. 15 minutos aproximadamente: Relacionar: Conforme a la lectura, el facilitador deberá asociar y cuestionar, las propias vidas de los niños, con las diferentes verdades descubiertas.

d. 20 minutos aproximadamente: Registrar: Colorear a Heidi aprendiendo a leer.

LECTURA DE CUENTO

HEIDI

AUTOR: Johanna Spyri

Escrito para niños, el original en lenguaje alemán y publicado en el año 1880.

Género: Ficción para niños.

RESEÑA

El libro de Heidi, es la historia de una niña que quedó huérfana desde muy pequeña y queda al cuidado de su joven tía Dete, la cual, al encontrar una buena oportunidad de trabajo, lleva a Heidi a vivir a las montañas de los Alpes en la casa de su abuelo. Heidi es cautivada por la vida en los Alpes y toda la naturaleza que la rodea. Allí conoce a Pedro, un chico que pastorea las cabras de los aldeanos, y quien es su mejor amigo y compañero de aventuras. Tiempo después, Heidi es llevada a la ciudad por su tía, para convertirse en damita de compañía de Clara, una niña incapacitada, que forma parte de una de las familias más importantes de Fráncfort. Vive acompañada por la servidumbre de la casa y de la señorita Rottenmeier, su tutora, ya que su padre permanece poco tiempo en la ciudad por motivos de negocios. Es en la casa en Fráncfort donde Heidi comienza a ser educada, tomando clases con un profesor, y donde se desarrolla el capítulo que vamos a leer a continuación donde la casa entera espera con gran ansiedad la visita de la abuelita de Clara, quien con su bondad y amor logrará ayudar a Heidi a aprender a leer.

Capítulo 10: *La abuela de Clara*

Había mucha expectativa y preparativos en la casa. Y era fácil entender que la persona a la cual esperaban, era una, cuya opinión se valora mucho y a quien todos respetan. Tinette se colocó una cofia nueva, y Sebastián, estaba colocando reposapiés frente a cada sillón, de manera que la señora encontrase uno disponible donde quiera que se le ocurriese sentarse. Y la señorita Rottenmeier caminaba, muy erguida, alrededor de toda la casa, supervisando todos los arreglos.

Tan pronto llegó el carruaje, los sirvientes bajaron rápidamente las escaleras, tanto Tinette como Sebastián salieron corriendo, seguidos por la señorita Rottenmeier. A Heidi la habían enviado a su cuarto con orden de permanecer allí hasta que la mandaran a bajar, pues seguramente la abuela querría ver a Clara sola primero. A Heidi la enviaron a que permaneciera en su dormitorio hasta recibir instrucciones, y no tardó mucho, cuando Tinette abrió la puerta y le dijo bruscamente:

—Baje al estudio.

La abuelita, en forma amorosa, inmediatamente le ofreció amistad a la niña, y la hizo sentir como si la conociera de toda la vida. Para sorpresa y mortificación de la ama de llaves, la abuelita llamó a Heidi por su nombre, queriendo enfatizarle a la señorita Rottenmeier: «Si el nombre de alguien es Heidi, yo lo llamo por su nombre».

La ama de llaves pronto entendió que debía respetar las costumbres y opiniones de la abuelita. La señora Sesemann supo inmediatamente lo que sucedía en la casa tan pronto como entró a ella. A la siguiente tarde, Clara se encontraba descansando y la anciana había cerrado sus ojos por cinco minutos, y cuando se levantó nuevamente, fue hasta el comedor. Sospechaba que la ama de llaves podría estar dormida, y se dirigió hasta su cuarto dormitorio, y tocó fuertemente a la puerta. Después de un ratito, con cara de asombro, la señorita Rottenmeier se asomó a la puerta mirando a la visitante a quien no esperaba encontrase.

—Rottenmeier, ¿dónde está la niña? Quiero saber —dijo la señora Sesemann.

—Ella está sentada en su habitación, y no mueve ni un dedo; no tiene el menor deseo de hacer algo útil, y es por eso que ella piensa en cosas absurdas que uno casi no puede mencionar en una sociedad educada.

—Yo haría lo mismo, si me dejaran sola, así como a ella. Por favor, tráigala a mi habitación ahora mismo, que quiero mostrarle unos libros muy bonitos que he traído conmigo.

—Ese es precisamente el problema. ¿Qué va a hacer ella con los libros? En todo este tiempo ella no ha podido aprender ni tan siquiera el A, B, C porque es imposible inculcar conocimiento alguno a este ser. Si el señor Candidate no fuera paciente como un ángel, el le hubiese dejado de enseñar hace tiempo atrás.

—¡Que raro! La niña no me parece alguien quien no pueda aprender el A, B, C —dijo la señora Sesemann—. Por favor, búscala ahora; de todos modos, podemos observar las ilustraciones.

La ama de llaves iba a decir algo más, pero la anciana se había volteado y se dirigía hacia su dormitorio. Estaba pensando en lo que había acabado de escuchar acerca de Heidi, tratando de decidir cómo resolver el asunto.

Heidi vino y estaba observando con ojos de asombro a las hermosas ilustraciones a colores en los libros que la abuelita le estaba mostrando. De repente, al pasar una de las páginas, lanzó un grito, al observar un rebaño que apacentaba en pastos muy verdes. Y en medio, se encontraba un pastor, apoyándose en su vara. La puesta de sol reflejaba una luz de oro, que abarcaba todo a su alrededor. Con ojos brillantes, Heidi se devoró la escena; pero de repente comenzó a sollozar profundamente.

La abuelita colocó su manito sobre la de ella con gesto bondadoso diciéndole:

—¡No llores, querida, no llores! ¿Seguramente esta figura te ha recordado algo? Pero, deja de llorar, que te voy a contar un cuento esta noche. Hay muchos cuentos hermosos en este libro, que podemos leer y contar... Sécate las lágrimas, querida, que quiero preguntarte algo.

—¡Así me gusta, que estés contenta otra vez!

Pasó, sin embargo, un momento antes que Heidi pudiese dominar los sollozos. La abuelita le concedió tiempo para reponerse, diciéndole de cuando en cuando algunas palabritas para darle ánimo. ¡Estaremos felices otra vez!, ¿eh?

Cuando vio por fin que Heidi se iba tranquilizando, le dijo: Ahora quiero que me digas una cosa: ¿Cómo andas con los estudios?, ¿te gustan las clases?, ¿has aprendido mucho?

—¡No he aprendido nada!, pero ya sabía de antemano que no me era posible aprender.

—¿Qué es lo que te parece tan imposible de aprender? Pues a leer... ¡Es demasiado difícil!

—¡No me digas eso! ¿Y se puede saber quién te lo ha dicho?

—Pedro me lo dijo, y él lo sabe muy bien, pues ha tratado muchas veces de aprender a leer y nunca ha podido lograrlo.

—Entonces, ¿qué clase de niño es ese Pedro? Pero, escúchame, Heidi. No debes creer lo que te haya dicho Pedro. Debes tratar por ti misma. Estoy segura de que no le prestaste al profesor toda tu atención cuando él trataba de enseñarte las letras.

—¡Es inútil! —dijo Heidi con un tono de voz, como quien está resignado a su destino.

—Escucha lo que tengo que decirte —continuó entonces la abuelita—. Tú no has podido aprender a leer porque creíste lo que Pedro te dijo. De ahora en adelante, debes escuchar lo que te digo yo, y yo te profetizo que aprenderás a leer en muy poco tiempo, como lo han hecho tantos otros niños como tú y que no son como Pedro. Cuando aprendas a leer, yo te daré este libro. Ya has visto esa figura del pastor, ¿verdad? Y podrás descubrir y leer todas las cosas raras que le sucedieron. Si, podrás escuchar la historia completa, y lo que él hace con su rebaño y sus ovejas. Heidi, ¿te gustaría saber, verdad?

Heidi había escuchado con mucha atención las palabras de la abuelita, y dijo:

—¡Ay, si pudiera leer todo eso ahora mismo!

—No vas a tardar mucho en aprender, ya lo veo. Ahora debes ir a reunirte con Clara.

Desde aquel día en que Heidi había deseado tanto volver a su casa y la señorita Rottenmeier la había encontrado y regañado diciéndole lo ingrata que era al querer escaparse, se había operado un cambio en la niña. Entendió que podría lastimar a sus amigos si tratara de regresar a su hogar otra vez. Y supo que no podría irse, que no era como su tía Dete le había prometido, que podría volverse cuando se le antojara, sino que tendría que quedarse por mucho, mucho tiempo..., quizás para siempre. También comprendió que el señor Sesemann podía considerarla ingrata si quería irse, y creía que la abuelita y Clara iban a pensar lo mismo de ella. Así, pues, ahora no había nadie en quien ella se atreviese a confiar su deseo de poder regresar a su hogar, pues no quería por nada de este mundo dar motivo a la abuelita, que era tan buena con ella, de enojarse. Pero el sufrimiento y la carga cada vez era más pesado; perdió su apetito y cada día se iba poniendo más pálida. De noche no podía dormir, pensando en la imagen de la montaña con su sol brillante y sus flores... sólo cuando dormía se sentía feliz. Y cuando despertaba por la mañana se creía de vuelta en la choza de su abuelo, para solo darse cuenta de que estaba en su cama blanca, alta, lejos, muy lejos de su casa. Heidi volvía entonces la carita contra la almohada y lloraba un largo rato en silencio para que nadie pudiera oírla.

La tristeza de la niña no escapó a los ojos de la abuelita, pero quiso esperar unos días esperando por un cambio de ánimo. Pero el cambio nunca llegó y muy a menudo los ojos de Heidi, estaban rojos, aún desde muy temprano en la mañana.

La abuelita llamó a Heidi a su dormitorio y le dijo con mucho amor en su tono de voz:

—Dime Heidi, ¿qué te pasa? y, ¿por qué estás tan triste?

Pero la niña, no quería mostrarse desagradecida, entonces respondió:

—No puedo decirle.

—Bueno, tal vez podrías decírselo a Clara, ¿qué piensas?

—¡Oh no! No puedo decírselo a nadie —dijo Heidi con un tono tan decisivo y expresión atribulada, que la abuelita se sintió llena de compasión por la chiquilla.

—Entonces, querida mía, déjame decirte lo que vamos a hacer: tú sabes que cuando tienes un gran dolor y no puedes decírselo a nadie, tú puedes ir a nuestro Padre celestial y puedes contarle todas tus aflicciones. Y si le pides, él puede quitar tu sufrimiento. ¿Me entiendes? ¿Acaso no oras todas las mañanas?

—No —respondió Heidi—, nunca he orado.

—¿Acaso nunca te enseñaron a orar, Heidi? ¿Sabes por lo menos lo que eso significa?

—Antes, con mi otra abuelita solía orar, pero hace mucho tiempo, y ya se me olvidó cómo hacerlo.

—Es por eso, criatura, que estás tan triste y atribulada, pues no conoces a nadie con quien desahogarte. Piensa en el consuelo que representa poder volverte hacia Dios en cualquier momento y contarle todo. Cuando tenemos el corazón lleno de tristeza, podemos orar pidiéndole una ayuda que sólo Él puede darnos. Él sólo es quien puede ayudarnos y darnos todo lo que necesitamos para volver a estar contentos.

Un destello repentino de alegría apareció en los ojos de Heidi.

—¿Puedo decirle todo, todo?

—Sí, querida, puedes decirle todo a Dios.

Heidi entonces retiró la mano que la abuelita afectuosamente retenía entre las suyas y dijo:

—¿Me permite que me vaya ahora?

—Sí, naturalmente —fue la respuesta de la abuelita.

Y Heidi salió corriendo del cuarto para irse al suyo, donde, juntó sus manitas y le contó a Dios todo lo que la ponía tan triste y le rogó que la ayudase y le permitiese volver a su casa con su abuelo.

Una semana después de estos episodios, el profesor pidió hablar con la señora Sesemann para informarle de un acontecimiento notable que había ocurrido. Cuando él entró, le extendió la mano para saludarlo, y le acercó una silla para que se sentara mientras le decía:

—Mucho gusto de saludarlo. Le ruego que se siente y me diga qué lo trae por aquí. Espero que no sea nada malo y que no me traiga usted ninguna queja.

—Todo lo contrario —comenzó el profesor—. Ha ocurrido algo cuando yo había perdido toda esperanza. En vista de lo ocurrido, entiendo que es un milagro extraordinario.

—¿Es decir, que Heidi ha aprendido por fin a leer? —interpuso la señora Sesemann.

—En verdad, es de veras maravilloso, no sólo porque antes, parecía completamente incapaz de aprender a leer, aun con todas mis detalladas explicaciones, sino porque ha aprendido con semejante rapidez, justo cuando yo había renunciado a empeñarme más en lo imposible. Y ahora, lo aprende todo, y ha comenzado a leer con claridad desde el principio, cosa completamente rara cuando uno comienza.

—En la vida ocurren muchas cosas improbables —observó la señora Sesemann con una sonrisa que mostraba cuan complacida se sentía—. No hagamos otra cosa que regocijarnos de que la niña haya comenzado tan bien y esperemos con fe en sus progresos futuros.

Después de despedirse del profesor, la señora bajó al estudio para cerciorarse de la buena nueva. Pues sí, en efecto, ahí estaba Heidi, sentada junto a Clara, leyéndole en voz alta, con evidente asombro de sí misma y con alegría creciente con el nuevo mundo que ahora se le abría ante los ojos. Esa misma noche, al ocupar su lugar en la mesa, Heidi encontró el gran libro aquel, con las hermosas ilustraciones, y cuando miró a la abuelita, ésta asintió afable, diciéndole:

—Sí, querida, ahora es tuyo.

—¿Mío para siempre..., para guardármelo aun cuando me vuelva a casa? —dijo Heidi, llena de alegría.

—Sí, naturalmente, tuyo para siempre —le aseguró la abuelita—. Mañana comenzaremos a leerlo.

—Pero, Heidi, tú no te irás a tu casa todavía, ¿verdad?, ni de aquí a muchos años... —comentó Clara.

—Cuando abuelita se vaya te voy a necesitar más que nunca para que te quedes conmigo.

Cuando aquella noche Heidi se retiró a su cuarto estuvo de nuevo mirando su libro antes de acostarse, y desde entonces, su principal diversión fue leer una y otra vez los cuentos que correspondían a las hermosas ilustraciones de los pastos verdes llenos de rebaños de ovejas. Cuando por las noches estaban sentadas juntas y la abuelita decía: «Ahora Heidi nos leerá en voz alta» ella lo hacía gustosamente, pues actualmente la lectura no le daba ningún trabajo, y cuando leía los cuentos en alta voz, las escenas parecían hacerse más reales y hermosas.

Todavía prefería, por sobre todas, la figura del pastor recostado en su cayado y rodeado por su rebaño en medio de la verde pradera, pues él, al menos estaba feliz en su casa cuidando de las ovejas y cabras de su padre. Después venía la ilustración, donde se lo veía lejos de su casa, obligado a cuidar cerdos, pálido y delgado por no comer otra cosa más que desperdicios. Aun el sol parecía brillar menos en esa lámina y todo tenía aspecto gris y brumoso. Pero el cuento tenía una tercera ilustración; ésta mostraba al anciano padre corriendo con los brazos extendidos para recibir al hijo arrepentido, que avanzaba tímidamente, exhausto y enflaquecido, vestido con un chaquetón roto. Ése era el cuento favorito de Heidi. Lo leía una vez tras otra en voz alta y para sí y no se cansaba nunca de oír a la abuelita explicárselo a ella y a Clara. En el libro había, sin embargo, otros cuentos, y entre leerlos y mirar las ilustraciones los días se pasaban volando y se iba acercando el momento en que la abuelita debía volverse a su casa.

(Tomado de Internet)

GLOSARIO

Cofia:

1. Prenda femenina de cabeza, generalmente blanca y de pequeño tamaño, que llevan enfermeras, camareras, criadas, etc., como complemento de su uniforme.

2. Red de seda o hilo, que se ajusta a la cabeza con una cinta pasada por un dobladillo, que usaban los hombres y las mujeres para recoger el pelo.

3. Gorra que usaban las mujeres para abrigar y adornar la cabeza, hecha de encajes.

Diván:

1. Asiento alargado, generalmente sin respaldo, para recostarse o tumbarse.

Coloquios:

1. Conversación entre dos o más personas.

2. Género de composición literaria, prosaica o poética, en forma de diálogo.

3. Discusión que puede seguir a una disertación, sobre las cuestiones tratadas en ella.

Estrambóticas:

1. Extravagante, irregular y sin orden.

Tino:

1. Hábito o facilidad de acertar a tientas con lo que se busca.

2. Acierto y destreza para dar en el blanco u objeto a que se tira.

3. Juicio y cordura.

4. Moderación, prudencia en una acción.

Gradas:

1. Peldaño.

2. Conjunto de escalones que suelen tener los grandes edificios delante de su pórtico o fachada.

3. Asiento a manera de escalón corrido.

Presteza:

1. Prontitud, diligencia y brevedad en hacer o decir algo.

Taburete:

1. m. Asiento sin brazos ni respaldo, para una persona.

2. m. Silla con el respaldo muy estrecho, guarnecida de vaqueta, terciopelo, etc.

3. m. Tarima pequeña que se pone delante de la silla para apoyar los pies o para otro uso.

Desusado:

1. adj. Desacostumbrado, insólito.

Inquisidoramente:

1. Indagar, averiguar o examinar cuidadosamente algo.

Cuento ilustrado
Capítulo X: La abuela de Clara

Se le entregará una hoja en blanco a cada niño, para que se imaginen y dibujen el cuento conforme lo escuchan.

GRUPO # 2: ESTUDIO DE BIOGRAFÍA

EDADES: 8 a 11 años

TIEMPO: 1 hora y 30 minutos.

ESTUDIO DE BIOGRAFÍA: George Washington Carver.

OBJETIVO DEL ESTUDIO: Mostrar los datos relevantes de la vida de un individuo que alumbró su entendimiento, corrigió su temperamento y formó hábitos en su juventud, que lo capacitaron para cumplir con las demás funciones en el futuro, por ejemplo, promover el bien.

PRINCIPIO: Leer historias de héroes formará el corazón, la mente, producirá esperanza dentro de sí y abonará a la sabiduría.

ESCRITURA: «Más bien, busquen todo lo que sea bueno y que ayude a su espíritu, así como los niños recién nacidos buscan ansiosos la leche de su madre. Si lo hacen así, serán mejores cristianos y Dios los salvará». (TLA) (1 Pedro 2:2).

1. 15 minutos aproximadamente: El maestro debe explicar la importancia de llevar a cabo el estudio de biografías y explicar cómo realizarlo.
    a. Importancia del estudio de biografías:
       ▸ Es un método que provee el estudio de la vida de una persona y así poder organizar lo que aprendes de ésta.
       ▸ Estudiar biografías ayuda a los estudiantes a conectar con las personas reales de la historia. Las biografías pueden traer las historias a la vida y enseñar el carácter necesario para lograr impactar la sociedad.
    b. Pasos para realizar el estudio de biografías:
2. Se subdividirá el grupo en grupos pequeños.
3. El maestro presentará a la persona ilustre y mostrará su foto a color a los participantes.
4. Se repartirá una hoja del dibujo de la persona en estudio y crayones o colores.
5. 15 minutos aproximadamente: Investigar: El maestro leerá la biografía al grupo por primera vez, mientras los participantes colorean el dibujo. Durante la lectura, se pondrá música instrumental de fondo.

44

6. Al terminar la lectura, se repartirá una hoja con la biografía de la persona en estudio a cada participante que incluirá una pequeña foto del personaje.

7. Se repartirá una tabla de estudio de biografías a cada participante y se explicará cómo contestar cada parte de la tabla:

Influencias: ¿Cuáles fueron las influencias que esta persona recibió que moldearon su vida? Influencia en: hogar, iglesia, escuela, amigos, asociaciones, ideas, literatura, circunstancias.

Carácter: Registrar frases y declaraciones que describen y revelan los atributos peculiares respecto al: temperamento, disposiciones e inclinaciones.

Contribuciones: Mencionar sus trabajos: escritos, discursos y oraciones, servicios brindados, etc… Identificar cómo esta persona impactó a futuros eventos y personas. Describir cómo esta persona contribuyó al avance del Evangelio o atrasó su crecimiento.

8. 20 minutos aproximadamente: Razonar y registrar: Los estudiantes leerán por segunda vez la biografía de forma individual y en silencio, y contestarán el «estudio de biografías».

9. 15 minutos aproximadamente: Relacionar: Cada grupo pequeño tendrá la oportunidad de discutir un área del estudio, llevando a los niños a relacionar la vida de George Washington Carver con su propia vida. Este es el momento en que el maestro podrá corregir o completar las respuestas discutidas por los niños en el formulario en referencia.

Biografía de George Washington Carver

George Washington Carver nació en Diamond, Estados Unidos en 1864. Nació en tiempos de esclavitud siendo hijo de esclavos que pertenecían a la familia Carver. George creció en la granja de los Carver, huérfano y en una relativa pobreza. Al final de la Guerra Civil fue liberado. En su niñez amaba los bosques y las plantas y las cosas relacionadas con la botánica. Era muy observador de la naturaleza y siempre hacía preguntas. También le gustaba usar sus manos. Cuando tenía unos 10 años se abrió paso hacia la escuela secundaria. Cuando era joven trabajaba duro y ahorraba dinero para ir a un cierto colegio, pero no se le permitió asistir. En 1894 prosiguió sus estudios en lo que era su primer amor, la agricultura. Después de obtener su título universitario, Carver fue invitado por Booker T. Washington para ir y enseñar en su recién formado instituto Tuskegee en Alabama. Su trabajo, mientras estuvo allí, transformó la economía del sur de los Estados Unidos e impactó también a muchas naciones. En este lugar realizó numerosos trabajos aplicados a la mejora y aprovechamiento de especies botánicas que pudieran alternarse con el cultivo de algodón de las regiones del sur; tales especies eran el cacahuate (maní), el boniato y la soja; especies con las que realizó numerosos experimentos y de las que obtuvo numerosos usos industriales. Carver se levantaba todos los días a las 4:00 a.m., leía la Biblia, y buscaba a Dios con respecto a lo que Él quería que hiciera. Hacia el fin de su vida Carver señaló: el secreto de mi éxito es simple. Se encuentra en la Biblia. «Reconócelo en todos tus caminos y Él enderezará tus veredas». Carver le dijo a Dios que quería conocer todo acerca del maní. Así que llevó el maní a su laboratorio, los separó y los redujo a sus elementos. Con el conocimiento que tenía sobre la química y la física logró reducirlos a sus partes. Separó el agua, las grasas, los aceites, las resinas, las gomas, los azúcares, los almidones, las pectosas, las pentosas y los aminoácidos.

Carver había trabajado duro para desarrollar sus habilidades en química. Por consiguiente, Dios podía contestarle la pregunta que Carver le había planteado. El utilizó tres leyes: la compatibilidad, la temperatura y la presión. Tomó estos componentes y los puso juntos. Observando estas leyes pudo entender porqué Dios hizo el maní.

Tras su trabajo, Carver descubrió alrededor de 300 usos para el maní. Los artículos alimenticios incluían el fruto seco, sopas, una docena de bebidas, encurtidos mixtos, salsas, harinas, café seco y café instantáneo. Otros artículos incluían: bálsamo, blanqueador, quitamanchas, masillas de relleno, detergente en polvo, betún para pulir metales, papel, tinta, plásticos, crema de afeitar, aceite de fricción, linóleo, champú, grasa para ejes, caucho sintético. Produjo una leche que no se cuajaba al cocinarse o cuando se le añadían ácidos. Se podía hacer una crema y un queso de larga duración a partir de esta leche. «Esta leche comprobó ser una verdadera salvadora de vidas en el Congo Belga. No se podían tener vacas allí debido a los leopardos y las moscas, de manera que si una madre moría su bebé era sepultado junto con ella; no había nada para alimentarlo. Los misioneros alimentaron a los infantes con leche de maní, y crecieron bien». George trabajó con muchas otras plantas y artículos —de patatas dulces hizo 107 productos diferentes; del aserrín creó mármol sintético; y con diferentes tipos de plantas del sur inventó láminas para hacer paredes o techos.

Su trabajo fue reconocido, ganando muchos premios y hasta llegó a ser el consejero de muchos líderes mundiales, incluyendo al presidente Franklin Roosevelt, Mahatma Gandhi y Thomas Edison. En toda su labor nunca dejó de reconocer a Dios. En 1921, cuando testificó ante un comité del Congreso, el presidente le preguntó: «Dr. Carver, ¿cómo aprendió usted todas esas cosas?» Carver contestó: «De un antiguo libro». «¿Cuál libro?» preguntó el senador. Carver contestó, «La Biblia». El senador preguntó, «¿Habla la Biblia del maní?» «No, Señor» contestó el Dr. Carver, «Pero sí habla del Dios que hizo el maní. Le pedí que me mostrara qué hacer con el maní, y Él lo hizo». Carver buscó la dirección divina y miraba a Dios como el revelador de la verdad.

Carver dijo: «No descubrí nada en mi laboratorio. Si vengo aquí por mis propias fuerzas, estoy perdido. Pero todo lo puedo en Cristo que me fortalece. Soy un siervo de Dios, su agente, pues aquí Dios y yo estamos a solas. Solo soy el instrumento a través del cual él habla, y sería capaz de hacer más si estuviera en contacto más cercano con él. Mezclo mi trabajo con mis oraciones, y algunas veces Dios se complace en bendecir los resultados». Él conocía su propósito en la vida: «Mi solo propósito debe ser el propósito de Dios —aumentar el bienestar y la felicidad de su pueblo». Esto, no el dinero o la fama, era su motivación principal. De hecho, Edison le ofreció un empleo con un ingreso de seis cifras, una fortuna en esos tiempos, pero lo rechazó para poder continuar su labor en la agricultura en su laboratorio, al que llamaba «el pequeño taller de Dios».

Carver murió el 5 de enero de 1943, pero dejó un legado. Ayudó a transformar la economía del sur, y ayudó a mejorar mundial. Carver tuvo que vencer todo tipo de obstáculos para cumplir su destino. En todos estos perseveró, trabajó duro, y siguió los deseos de su corazón. Tuvo un gran impacto sobre mucha gente y sobre la agricultura y la economía en general. Igual que Carver usted puede hacer grandes cosas para Dios.

De hecho, cualquier cosa que él le haya llamado a hacer es grande, ya sea grande o pequeña a su vista o a los ojos del hombre. Carver puede inspirarle a no limitar lo que Dios puede hacer a través de usted, sea cual sea su situación en la vida. Averigüe su plan, busque su sabiduría y desarrolle los talentos y habilidades que él le haya dado.

Estudio de biografía

De la vida de: _______________________________

Nombre: _________________________________Fecha: _____________

Influencias	¿Cómo era su carácter?	Contribuciones	¿Qué cosas puedo imitar de su vida?

Grupo #3: Estudio de las palabras

EDADES: 12 a 14 años

TIEMPO: 1 hora y 30 minutos.

PALABRA DE ESTUDIO: Sabiduría

OBJETIVO DEL ESTUDIO: Inquirir en el estudio de la palabra de Dios como herramienta fundamental para adquirir sabiduría.

PRINCIPIO: Si se busca la sabiduría y se pide a Dios, la sabiduría entrará en el corazón.

Escritura: «Haz tuyas mis palabras, hijo mío; guarda en tu mente mis mandamientos. Presta oído a la sabiduría; entrega tu mente a la inteligencia. Pide con todas tus fuerzas inteligencia y buen juicio; entrégate por completo a buscarlos, cual si buscaras plata o un tesoro escondido. Entonces sabrás lo que es honrar al Señor; ¡descubrirás lo que es conocer a Dios! Pues el Señor es quien da la sabiduría; la ciencia y el conocimiento brotan de sus labios. El Señor da su ayuda y protección a los que viven rectamente y sin tacha; cuida de los que se conducen con justicia, y protege a los que le son fieles. Sabrás también lo que es recto y justo, y estarás atento a todo lo bueno, pues tu mente obtendrá sabiduría y probarás la dulzura del saber. La discreción y la inteligencia serán tus constantes protectoras». Proverbios 2:1-11 (DHH).

1. 15 minutos aproximadamente: El maestro debe explicar la importancia de llevar a cabo el estudio de palabras y explicará cómo realizarlo.

    a. Importancia del estudio de palabras:

- Menciona Mateo 22: 37 Y Él le dijo: «Amarás al Señor tu Dios con todo tu corazón, y con toda tu alma, y con toda tu mente» (LBLA). Dios manda a amarle con toda la mente y para esto, es importante entender que la única forma de hacerlo es estudiando la palabra de Dios.
- Quien controla el vocabulario, controla la cultura. Se necesita una educación que parta de los principios bíblicos y no de la cosmovisión humanista.
- Dios dio al hombre el lenguaje para que lo usara. Nos dio la capacidad de escuchar, leer, pensar, razonar, hablar, escribir y comunicar nuestras ideas.
- Las palabras llevan las ideas y las ideas tienen consecuencias. Las consecuencias son las acciones.

- Ejemplo: si defino el fruto del vientre de una mujer como el producto de la concepción y no como un bebé, esto me lleva a la idea de que el producto es un tejido (una bolsa de químicos), y no un ser humano, produciendo como consecuencia el aborto.
- Por esto se necesita adquirir un vocabulario bíblico.
- Dios define a un bebé, embrión o feto, como un ser humano con vida, que está en formación.
- Enseñar a los niños a pensar teniendo el entendimiento de Cristo, asegura que el evangelio pasará de esta generación a la siguiente (preserva el cristianismo).

b. Pasos para realizar el estudio de palabras:

- 10 minutos aproximadamente: Buscar el significado en un diccionario confiable, escrito bajo los paradigmas cristianos; se recomienda el diccionario Noah Webster (1828).

De no contar con el diccionario Noah Webster (1828), cada líder de grupo dictará la definición de la palabra de estudio «sabiduría». La razón por la que se usa el dictado, es porque este proceso, ayuda a que el niño conecte rápidamente el símbolo escrito con el sonido hablado; es decir, la definición de la palabra. Para este momento el niño está usando todas sus capacidades mentales. El niño escucha al maestro decir la palabra, y cada niño se escucha a sí mismo diciendo cada sonido, mientras usa su mente para decirla y dirige su mano para escribirla. Él ve lo que ha escrito, y luego podrá leer. NO hay otra forma de grabar con mayor precisión y rapidez, en su memoria, la palabra que ha escrito, y que pueda leer de un vistazo; esto construye su vocabulario visual.

- 5 minutos aproximadamente: Seleccionar palabras claves dentro de la definición.
- Buscar el significado de las palabras claves. En este paso, de igual forma será necesario dictarles las definiciones de las palabras claves.
- 20 minutos aproximadamente: Buscar en una concordancia, versículos relevantes de la palabra de estudio y de las palabras claves.
- 15 minutos aproximadamente: Deducir principios de los versículos.
- 5 minutos aproximadamente: Escribir una definición personal aplicada a la vida.
- Archivar el estudio en su carpeta de estudios personales.
- 10 minutos aproximadamente: Pintar a una persona en busca de sabiduría.

Estudio de la palabra: SABIDURÍA

Definición: (Diccionario Webster 1828).

1. Es el uso o el ejercicio correcto del conocimiento. Escoger el más digno fin y los mejores medios para lograr algo.

2. Es la facultad de discernir y buscar lo más justo, lo más apropiado y lo más útil.

3. Es la adquisición del conocimiento y el uso de lo que es mejor, más justo, más apropiado y lo que nos conduce a la prosperidad y felicidad.

Definición de palabras clave:

Conocimiento:

1. Una clara y certera percepción de lo que existe, de la verdad o de un hecho.

2. Dícese de aprender, iluminación de la mente.

Digno:

1. Merecedor. Poseedor de excelencia, de cualidades virtuosas y estimables.

Medios:

1. Instrumento para llevar a cabo alguna acción o un resultado.

2. Ingresos, recursos, propiedades consideradas como instrumentos para efectuar algún propósito.

Facultad:

1. Es el poder de la mente o del intelecto que capacita para recibir o modificar percepciones; como la facultad de ver, la facultad de escuchar, de imaginar, o de recordar; o en general las facultades pueden ser llamadas como los poderes y las capacidades de la mente.

2. El poder para hacer algo; es una habilidad.

3. El poder para realizar cualquier acción, natural, vital o animal.

Discernir:

1. Ver o entender la diferencia; hacer una distinción; como discernir entre lo bueno y lo malo, la verdad y la falsedad.

Justo:

1. Exactamente proporcional; lo adecuado.

2. Honrado; honesto; conformándose con exactitud a las leyes y los principios de rectitud en la conducta social, equitativo en la distribución de justicia.

3. Recto; influenciado por la observancia a las leyes de Dios; que vive conforme a la voluntad divina.

4. Conforme a la verdad, exacto, apropiado, certero; pensamientos justos, expresiones justas, imágenes y representaciones justas.

Apropiado:

1. Separado para un uso particular.

2. Lo más apto, lo más indicado, lo más adecuado.

Útil:

1. Tener poder para producir bien.

2. Beneficioso

3. Productivo.

Prosperidad:

1. Obtener un bien deseado, progreso, éxito.

Felicidad:

1. Disfrute proveniente de la posesión del bien.

PRINCIPIOS BÍBLICOS (Biblia de las Américas y Traducción en Lenguaje Actual):

Sabiduría:

1. Éxodo 35:35 «Y los ha llenado de sabiduría de corazón, para que hagan toda obra de arte y de invención y de bordado en azul, en purpura, en carmesí, en lino fino y en telar para que hagan toda labor e inventen todo diseño» (LBLA).

«Dios les ha dado capacidad artística para hacer los tallados en madera, los bordados en tela morada, tela azul y tela roja, y en tela de lino fino, así como para hacer cualquier tipo de artesanía. También les ha dado capacidad para enseñar a otros en esta clase de trabajos» (TLA).

Principio: Dios nos da sabiduría para inventar, diseñar y elaborar toda creación artística y todo trabajo manual.

2. Deuteronomio 4:5-6 «Mirad, yo os he enseñado estatutos y decretos tal como el SEÑOR mi Dios me ordenó, para que los cumpláis en medio de la tierra en que vais a entrar para poseerla. Así que guardadlos y ponedlos por obra, porque ésta será vuestra sabiduría y vuestra inteligencia ante los ojos de los pueblos que al escuchar todos estos estatutos, dirán: "Ciertamente esta gran nación es un pueblo sabio e inteligente"» (LBLA).

«Nuestro Dios me ha ordenado enseñarles todos sus mandamientos, para que ustedes los obedezcan en el territorio que van a ocupar. Así, cuando los demás pueblos oigan hablar de ellos, dirán que ustedes son un gran pueblo, sabio y entendido, pues tienen buenas enseñanzas y saben obedecerlas» (TLA).

Principios:
- Una nación que guarda y obedece los mandamientos de Dios es una nación sabia e inteligente.
- Seguir y poner por obra los mandamientos de Dios nos hace sabios.

3. 1 Reyes 3:28 «Cuando todo Israel oyó del juicio que el rey había pronunciado, temieron al rey, porque vieron que la sabiduría de Dios estaba en él para administrar justicia» (LBLA).

«Todo el pueblo de Israel escuchó cómo el rey había solucionado este problema. Así Salomón se ganó el respeto del pueblo, porque ellos se dieron cuenta de que Dios le había dado sabiduría para ser un buen rey» (TLA).

Principio: La sabiduría de Dios nos hace jueces justos, dando a cada quién lo que merece.

4. Job 28:18 «Coral y cristal ni se mencionen; la adquisición de la sabiduría es mejor que las perlas» (LBLA).

«Mucho menos el coral, el jaspe y el topacio. La sabiduría vale más que las joyas; ¡ni todo el oro del mundo puede pagar su precio!» (TLA).

Principio: La adquisición de la sabiduría es un bien muy valioso para el hombre.

5. Job 28:28 «Y dijo al hombre: "He aquí, el temor del Señor es sabiduría y apartarse del mal, inteligencia"» (LBLA).

Luego dijo: «Si ustedes me obedecen y se apartan del mal, habrán hallado la sabiduría» (TLA).

Principio: Temer a Dios nos hace sabios y alejarnos del mal es ser inteligentes.

6. Salmo 37:30: «La boca del justo profiere sabiduría y su lengua habla rectitud» (LBLA).

«Cuando los buenos hablan, lo hacen siempre con sabiduría, y siempre dicen lo que es justo» (TLA).

Principio: Un hombre temeroso de Dios habla sabiduría y sus palabras son correctas y buenas.

7. Salmo 104:24 «¡Cuán numerosas son tus obras, oh SEÑOR! Con sabiduría las has hecho todas; llena está la tierra de tus posesiones» (LBLA).

«Dios nuestro, tú has hecho muchas cosas, y todas las hiciste con sabiduría. ¡La tierra entera está llena con todo lo que hiciste!» (TLA).

Principio: Dios creó toda la creación con sabiduría, por eso todo lo que existe es bueno.

8. Salmo 111:10 «El principio de la sabiduría es el temor del SEÑOR; buen entendimiento tiene todos

los que practican sus mandamientos; su alabanza permanece para siempre» (LBLA).

«Si alguien quiere ser sabio, que empiece por obedecer a Dios. Quienes lo hacen así, demuestran inteligencia. ¡Dios merece ser siempre alabado!» (TLA).

Principio: El temor de Jehová y sus mandamientos son la base para adquirir la sabiduría.

Proverbios 2:6 «Porque el SEÑOR da sabiduría, de su boca vienen el conocimiento y la inteligencia» (LBLA). «Solo Dios puede hacerte sabio; sólo Dios puede darte conocimiento» (TLA).

Principio: Dios es quien nos da la sabiduría, de Él provienen el conocimiento y la inteligencia.

9. Proverbios 3:13 «Bienaventurado el hombre que halla sabiduría y el hombre que adquiere entendimiento» (LBLA).

Principio: La sabiduría y el entendimiento traen bendición al hombre.

10. Hechos 7:22 «Y Moisés fue instruido en toda la sabiduría de los egipcios, y era un hombre poderoso en palabras y en hechos» (LBLA).

Principio: La sabiduría nos da autoridad en lo que decimos y en lo que hacemos.

11. Colosenses 1:28 «A Él nosotros proclamamos, amonestando a todos los hombres, y enseñando a todos los hombres con toda sabiduría, a fin de poder presentar a todo hombre perfecto en Cristo» (LBLA).

Principio: La sabiduría nos perfecciona.

12. Santiago 3:17 «Pero la sabiduría de lo alto es primeramente pura, después pacífica, amable, condescendiente, llena de misericordia y de buenos frutos, sin vacilación, sin hipocresía» (LBLA).

Principio: La sabiduría que viene de Dios da buenos frutos porque es pura, pacífica, amable, condescendiente y misericordiosa y no busca sus propios intereses.

PALABRAS CLAVE:

Conocimiento:

1. Proverbios 8:10 «Recibid mi instrucción y no la plata, y conocimiento antes que el oro escogido» (LBLA).

Principio: El conocimiento es un bien muy valioso.

2. Proverbios 11:9 «Con la boca el impío destruye a su prójimo, mas por el conocimiento los justos serán librados» (LBLA).

Principio: El conocimiento nos libra del mal.

3. Proverbios 12:1 «El que ama la instrucción ama el conocimiento, pero el que odia la reprensión es torpe» (LBLA).

Principio: El conocimiento viene a través de la instrucción y la disciplina.

4. Proverbios 15:7 «Los labios de los sabios esparcen conocimiento, pero no así el corazón de los necios» (LBLA).

Principio: Una persona sabia habla con conocimiento, sin conocimiento somos necios.

5. Oseas 4:6 «Mi pueblo es destruido por falta de conocimiento. Por cuanto tú has rechazado el conocimiento, yo también te rechazaré para que no seas mi sacerdote; como has olvidado la ley de tu Dios, yo también me olvidaré de tus hijos» (LBLA).

Principio: La falta y el rechazo del conocimiento traen destrucción.

Digno:

1. 1 Crónicas 16:25 «Porque grande es el Señor, y muy digno de ser alabado; temible es él también sobre todos los dioses» (LBLA).

Principio: Dios es digno de alabanza por su grandeza y atributos.

2. Efesios 4:1 «Yo, pues, prisionero del Señor, os ruego que viváis de una manera digna de la vocación con que habéis sido llamados, con toda humildad y mansedumbre, con paciencia, soportándoos unos a otros en amor» (LBLA).

Principio: La humildad, la mansedumbre, la paciencia y el amor son cualidades dignas del cristiano.

3. Colosenses 1:10 «Para que andéis como es digno del Señor, agradándole en todo, dando fruto en toda buena obra y creciendo en el conocimiento de Dios» (LBLA).

Principio: Crecer en el conocimiento de Dios, agradarle con nuestras acciones y dar buen fruto en nuestras obras son características dignas.

Facultad:

1. Eclesiastés 5:19 «Igualmente, a todo hombre a quien Dios le da riquezas y bienes, y le da también facultad para que coma de ellos y tome su porción y goce de su trabajo. Este es don de Dios». (RVR95).

Principio: Dios nos ha dado facultades como un regalo.

Discernir:

1. de Reyes 3:9 «Da, pues, a tu siervo un corazón con entendimiento para juzgar a tu pueblo y para discernir entre el bien y el mal. Pues ¿quién será capaz de juzgar a este pueblo tuyo tan grande?» (LBLA).

Principio: Dios nos da un corazón entendido para que podamos discernir entre lo bueno y lo malo y juzgar justamente.

2. Eclesiastés 8:5 «El que guarda el mandamiento no experimentará mal; y el corazón del sabio discierne el tiempo y el juicio» (LBLA).

Principio: El hombre sabio tiene la capacidad para distinguir los tiempos y juzgar apropiadamente cada cosa.

3. Hebreos 4:12 «Porque la palabra de Dios es viva y eficaz, y más cortante que cualquier espada de dos filos; penetra hasta la división del alma y del espíritu, de las coyunturas y los tuétanos, y es poderosa para discernir los pensamientos y las intenciones del corazón» (LBLA).

Principio: La palabra de Dios nos da la capacidad de discernir pensamientos e intenciones del corazón.

Justo:

1. Deuteronomio 4:8 «Porque, ¿qué nación grande hay que tenga un dios tan cerca de ella como está el Señor nuestro Dios siempre que le invocamos? ¿O qué nación grande hay que tenga estatutos y decretos tan justos como toda esta ley que hoy pongo delante de vosotros?» (LBLA).

Principio: La ley y los mandamientos de Dios son justos porque él sabe que lo que nos manda hacer lo podemos cumplir.

2. Deuteronomio 25:15 «Tendrás peso completo y justo; tendrás medida completa y justa, para que se prolonguen tus días en la tierra que el Señor tu Dios te da». (LBLA).

Principio: Una persona justa es exacta en sus medidas, dando a cada cual exactamente lo que le corresponde, y así prolongará sus días sobre la tierra.

3. Salmo 19:9 «El temor del Señor es limpio, que permanece para siempre; los juicios del Señor son verdaderos, todos ellos justos» (LBLA).

Principio: Dios juzga con justicia, por lo tanto, da a cada persona lo que merece.

4. Salmo 37:30 «La boca del justo profiere sabiduría y su lengua habla rectitud».(LBLA).

Principio: Un hombre justo habla siempre la verdad y es sabio en lo que dice.

5. Juan 5:30 «No puedo yo hacer nada de mí mismo; como oigo, juzgo; y mi juicio es justo; porque no busco mi voluntad, sino la voluntad del Padre que me envió» (RVR95).

Principio: Nosotros podemos juzgar justamente cuando lo hacemos buscando siempre la voluntad de Dios.

Prosperidad:

1. Deuteronomio 10:12-13 «Ahora, pues, Israel, ¿qué pide Jehová tu Dios de ti, sino que temas a Jehová tu Dios, que andes en todos sus caminos, y que lo ames, y sirvas a Jehová tu Dios con todo tu corazón y con toda tu alma; que guardes los mandamientos de Jehová y sus estatutos, que yo te prescribo hoy, para que tengas prosperidad» (RVR60).

Principio: La persona que obedece los mandamientos del Señor, es sabia y próspera.

2. Génesis 39:2 «Y el Señor estaba con José, que llegó a ser un hombre próspero, y estaba en la casa de su amo el egipcio» (LBLA).

Principio: Una persona piadosa, es una persona que prospera.

DEFINICIÓN PERSONAL DE SABIDURÍA:

La sabiduría es la facultad de adquirir y utilizar el conocimiento para traer y buscar el mayor bien. Una persona puede llegar a ser sabia, cuando teme y obedece a Dios.

ESTUDIO DE PALABRA: SABIDURÍA

Definición:

1. ____

____

2. ____

____

Definición de palabras clave:

Conocimiento:

1. ____

____

2. ____

____

Digno:

1. ____

____

2. ____

____

Medios:

1. ____

2. ____

Facultad:

1. ____

2. ____

Discernir:

1. ____

2. ____

Justo:

1. ____

2. ____

Apropiado:

1. ____

Útil:

1. ____

2. ____

Prosperidad:

1. ____

Felicidad:

1. ____

PRINCIPIOS BÍBLICOS (Biblia de las Américas)

Sabiduría:

1. Éxodo 35:35 «Y los ha llenado de sabiduría de corazón, para que hagan toda obra de arte y de invención y de bordado en azul, en purpura, en carmesí, en lino fino y en telar para que hagan toda labor e inventen todo diseño» (LBLA).

Principio: ____

2. Deuteronomio 4:5-6 «Mirad, yo os he enseñado estatutos y decretos tal como el Señor mi Dios me ordenó, para que los cumpláis en medio de la tierra en que vais a entrar para poseerla. Así que guardadlos y ponedlos por obra, porque esta será vuestra sabiduría y vuestra inteligencia ante los ojos de los pueblos que, al escuchar todos estos estatutos, dirán: "Ciertamente esta gran nación es un pueblo sabio e inteligente"» (LBLA).

Principio: ____

3. 1 de Reyes 3:28 «Cuando todo Israel oyó del juicio que el rey había pronunciado, temieron al rey, porque vieron que la sabiduría de Dios estaba en él para administrar justicia» (LBLA).

Principio: ____

4. Job 28:18 «Coral y cristal ni se mencionen; la adquisición de la sabiduría es mejor que las perlas» (LBLA).

Principio: ____

5. Job 28:28 «Y dijo al hombre: He aquí, el temor del Señor es sabiduría, y apartarse del mal, inteligencia» (LBLA).

Principio: ____

6. Salmo 37:30 «La boca del justo profiere sabiduría y su lengua habla rectitud» (LBLA).

Principio: ____

7. Salmo 104:24 «¡Cuán numerosas son tus obras, oh Señor! Con sabiduría las has hecho todas; llena está la tierra de tus posesiones» (LBLA).

Principio: ____

8. Salmo 111:10 «El principio de la sabiduría es el temor del Señor; buen entendimiento tienen todos los que practican sus mandamientos; su alabanza permanece para siempre» (LBLA).

Principio: ____

9. Proverbios 2:6 «Porque el Señor da sabiduría, de su boca vienen el conocimiento y la inteligencia». (LBLA).

Principio: ____

10. Proverbios 3:13 «Bienaventurado el hombre que halla sabiduría y el hombre que adquiere entendimiento». (LBLA).

Principio: ____

11. Hechos 7:22 «Y Moisés fue instruido en toda la sabiduría de los egipcios, y era un hombre poderoso en palabras y en hechos» (LBLA).

Principio: _______________________________

12. Colosenses 1:28 «A él nosotros proclamamos, amonestando a todos los hombres, y enseñando a todos los hombres con toda sabiduría, a fin de poder presentar a todo hombre perfecto en Cristo» (LBLA).

Principio: _______________________________

13. Santiago 3:17«Pero la sabiduría de lo alto es primeramente pura, después pacífica, amable, condescendiente, llena de misericordia y de buenos frutos, sin vacilación, sin hipocresía».

Principio: _______________________________

PALABRAS CLAVE

Conocimiento:

1. Proverbios 8:10 «Recibid mi instrucción y no la plata, y conocimiento antes que el oro escogido» (LBLA).

Principio: _______________________________

2. Proverbios 11:9 «Con la boca el impío destruye a su prójimo, mas por el conocimiento los justos serán librados» (LBLA).

Principio: _______________________________

3. Proverbios 12:1 «El que ama la instrucción ama el conocimiento. Pero el que odia la reprensión es torpe» (LBLA).

Principio: _______________________________

4. Proverbios 15:7 «Los labios de los sabios esparcen conocimiento, pero no así el corazón de los necios». (LBLA).

Principio: _______________________________

5. Oseas 4:6 «Mi pueblo es destruido por falta de conocimiento. Por cuanto tú has rechazado el conocimiento, yo también te rechazaré para que no seas mi sacerdote; como has olvidado la ley de tu Dios, yo también me olvidaré de tus hijos» (LBLA).

Principio: _______________________________

Digno:

1. 1 Crónicas 16:25 «Porque grande es el Señor, y muy digno de ser alabado; temible es él también sobre todos los dioses» (LBLA).

Principio: ____

____

2. Efesios 4:1 «Yo, pues, prisionero del Señor, os ruego que viváis de una manera digna de la vocación con que habéis sido llamados, con toda humildad y mansedumbre, con paciencia, soportándoos unos a otros en amor» (LBLA).

Principio: ____

____

3. Colosenses 1:10 «Para que andéis como es digno del Señor, agradándole en todo, dando fruto en toda buena obra y creciendo en el conocimiento de Dios»(LBLA).

Principio: ____

____

Facultad:

1. Eclesiastés 5:19 «Igualmente, a todo hombre a quien Dios le da riquezas y bienes, y le da también facultad para que coma de ellos y tome su porción y goce de su trabajo. Este es don de Dios» (RVR95).

Principio: ____

____

Discernir:

1. 1 de Reyes 3:9 «Da, pues, a tu siervo un corazón con entendimiento para juzgar a tu pueblo y para discernir entre el bien y el mal. Pues ¿quién será capaz de juzgar a este pueblo tuyo tan grande?» (LBLA).

Principio: ____

____

1. Eclesiastés 8:5 «El que guarda el mandamiento no experimentará mal; y el corazón del sabio discierne el tiempo y el juicio» (LBLA).

Principio: ____

____

2. Hebreos 4:12 «Porque la palabra de Dios es viva y eficaz, y más cortante que cualquier espada de dos filos; penetra hasta la división del alma y del espíritu, de las coyunturas y los tuétanos, y es poderosa para discernir los pensamientos y las intenciones del corazón» (LBLA).

Principio: ____

____

Justo:

1. Deuteronomio 4:8 «Porque, ¿qué nación grande hay que tenga un dios tan cerca de ella como está el Señor nuestro Dios siempre que le invocamos? ¿O qué nación grande hay que tenga estatutos y decretos tan justos como toda esta ley que hoy pongo delante de vosotros?» (LBLA).

Principio: ____

____

2. Deuteronomio 25:15 «Tendrás peso completo y justo; tendrás medida completa y justa, para que se prolonguen tus días en la tierra que el Señor tu Dios te da» (LBLA).

Principio:———

———

3. Salmo 19:9 «El temor del Señor es limpio, que permanece para siempre; los juicios del Señor son verdaderos, todos ellos justos» (LBLA).

Principio:———

———

4. Salmo 37:30 «La boca del justo profiere sabiduría y su lengua habla rectitud» (LBLA).

Principio:———

———

5. Juan 5:30 «No puedo yo hacer nada de mí mismo; como oigo, juzgo; y mi juicio es justo; porque no busco mi voluntad, sino la voluntad del Padre que me envió» (RVR95).

Principio:———

———

Prosperidad:

1. Deuteronomio 10:12-13 «Ahora, pues, Israel, ¿qué pide Jehová tu Dios de ti, sino que temas a Jehová tu Dios, que andes en todos sus caminos, y que lo ames, y sirvas a Jehová tu Dios con todo tu corazón y con toda tu alma; que guardes los mandamientos de Jehová y sus estatutos, que yo te prescribo hoy, para que tengas prosperidad?» (RVR95).

Principio:———

———

2. Gen 39:2 «Y el Señor estaba con José, que llegó a ser un hombre próspero, y estaba en la casa de su amo el egipcio» (LBLA).

Principio:———

———

DEFINICIÓN PERSONAL DE SABIDURÍA:
———
———

¡En búsqueda de la sabiduría!
———
———
———

Esfera #4: Ciencia

TÍTULO: Usar la ciencia para el bien

TIEMPO: 1 hora y 30 minutos

PRINCIPIO PARA REFORZAR: La ciencia revela el orden y el poder de Dios a medida que estudia y descubre el diseño de la creación, usándolo con sabiduría para el beneficio de los pueblos.

ESCRITURA: Salmo 104: 24 «¡Cuán numerosas son tus obras, oh Señor! Con sabiduría las has hecho todas; llena está la tierra de tus posesiones» (LBLA).

OBJETIVOS:

- Que los participantes puedan experimentar cómo al estudiar el orden de las cosas con sabiduría, pueden aplicar lo aprendido para crear y hacer ciencia.
- Que los participantes puedan aprender cómo los conocimientos de la ciencia se pueden aplicar para el beneficio de los pueblos y naciones.

DESCRIPCIÓN DEL PROYECTO:

Se realizarán varios experimentos científicos de acuerdo a las edades de los participantes. Harán uno (1) de los experimentos siguiendo los pasos del método científico.

- Si cuenta con un/a maestro/a de Ciencias, pueden añadir experimentos a esa esfera.
- Se mezclan las edades.

DEFINICIÓN DEL MÉTODO CIENTÍFICO:

El método científico es un proceso destinado a explicar fenómenos, establecer relaciones entre los hechos y enunciar leyes que expliquen los fenómenos físicos del mundo y permitan obtener, con estos conocimientos, aplicaciones útiles al hombre. Los científicos emplean el método científico como una forma planificada de trabajar. Sus logros son acumulativos y han llevado a la humanidad al momento cultural actual.

Proceso para llevar a cabo el método científico:

1. Observación: Observar es más que ver. Muchos fenómenos suceden y pasan desapercibidos y la razón es, porque verdaderamente no son observados. Por ejemplo: la repetición del orden de los colores en el arco

iris, la recurrencia de lluvia a una hora determinada en la época lluviosa, la visita de un colibrí a una planta florida a horas específicas, etc. Observar, significa que vamos a buscar propiedades como el color, forma, tamaño, olor, peso, textura y sabor. Es decir, incluye describir e identificar las propiedades de un objeto. Anime a los participantes a observar de forma detenida la creación de Dios y como esta fue diseñada.

2. Reunir datos e investigar acerca del tema de interés: Es importante desarrollar estrategias para encontrar fuentes adecuadas y confiables. Las fuentes permiten apoyar la investigación con conocimientos existentes. Al principio de una investigación, éstas sirven para formular el «marco teórico» o «marco de referencia» sobre el tema de interés. Luego, aportan datos para el desarrollo del tema. Hay diversos tipos de fuentes: pueden ser entrevistas a personas expertas en el área, monografías que desarrollan un tema a profundidad (libros de texto, obras literarias, tesis), obras de consulta que proveen definiciones básicas y generales (enciclopedias, diccionarios, manuales), publicaciones periódicas (revistas y periódicos), las páginas web verificando su credibilidad y los recursos audiovisuales que pueden servir para documentar un proceso, completar la información y apoyar la presentación de un tema (fotografías, animaciones, vídeos, etc.).

3. Hipótesis y preguntas: Es una posible explicación o respuesta a la pregunta que se hizo al inicio de la investigación. Es una respuesta «a priori» a la pregunta formulada cuando se plantea el problema; es esta la que debe ser puesta a prueba, para establecer su validez. Sirve como guía en la investigación. Indica lo que se está buscando o tratando de probar. Debe formularse como una idea afirmativa y así ser predictiva.

4. Experimento: Es el momento en el que se prueba la hipótesis. Consiste en someter un fenómeno, idea o problema; en muchas ocasiones, en condiciones controladas por el investigador, con el fin de analizar los efectos que producen las variables de estudio en el fenómeno u objeto.

5. Recopilación: Durante el experimento se obtienen datos o evidencias; es decir, resultados que permiten apreciar si se cumplen o no las predicciones derivadas de la hipótesis. Estos datos se deberán ordenar y recopilar por medio de tablas, gráficas o diagramas, entre otras opciones.

6. Interpretación y conclusión: El análisis riguroso y la interpretación de los datos experimentales, finalmente llevan al científico a la elaboración de las conclusiones, que se derivan de todo el proceso de investigación, proporcionando así nuevo conocimiento.

Nota: El líder deberá aclarar la importancia del método científico para hacer ciencia y a su vez debe explicar que en el proyecto ya se tienen diferentes pasos del método cubiertos. Ellos sólo pasarán por algunos de ellos. Ejemplo: la hipótesis, experimentación, recopilación y conclusión.

A continuación, encontrarás algunas sugerencias de experimentos que pueden realizar para este proyecto.

Experimento #1: Huevos que flotan
Edades: Todas las edades.

Sugerimos que este experimento sea realizado solo por el facilitador de modo que lo pueda mostrar a los participantes al inicio del proyecto de ciencias.

Materiales experimento #1:
- 3 vasos grandes.

- 3 huevos de gallina.
- 1 cuchara.
- Agua natural.
- Sal.

Procedimiento:

Este experimento es muy fácil. En primer lugar, hay que verter unas ¾ partes de agua natural en cada uno de los vasos. Colocar los tres vasos con agua sobre una mesa; en el primero de estos, añadir 5 cucharadas grandes de sal y revolver durante unos 30 segundos con la cuchara. Hacer lo mismo con el segundo vaso y una vez listo, quitar la mitad del agua salada y completar con agua natural. El tercer vaso quedará intacto, no se debe añadir sal. En cada uno de los vasos, añadir 1 huevo y observar qué sucede.

Explicación:

Como habrás podido apreciar, en el primer vaso (agua salada) el huevo flota hasta la superficie, en el segundo (½ agua salada y ½ agua natural) el huevo flota como hasta el medio del vaso y en el tercero (agua natural) se hunde y queda en el fondo.

¿Por qué ocurre esto? Pues porque sobre el huevo actúan dos fuerzas: su peso (la fuerza de gravedad que lo empuja hacia abajo) y el empuje del agua (resistencia del agua que lo lleva hacia arriba). Si el peso es mayor que el empuje del agua, el huevo se hunde. En caso contrario flota y si son iguales (o aproximadamente iguales), el huevo queda en el medio.

Este curioso fenómeno ocurre en el Mar Negro, donde, debido a su alta concentración de sal, las personas al tirarse al agua flotan por inercia.

Descubrir cómo Dios creó los diferentes cuerpos de agua, los océanos y los ríos, ayudó al hombre a diseñar grandes tecnologías de objetos flotantes como el barco. Siendo que el agua salada tiene mayor peso por unidad de volumen que el agua dulce, el peso del agua salada desalojada es mayor, entonces el barco recibe un empuje mayor en agua salada que en agua dulce, por lo tanto se sumerge menos.

Experimento #2: Cómo hacer barro
Edades: 4 a 7 años

Al Dios crear la tierra, hizo el barro. El barro es una mezcla semilíquida, hecha de diferentes minerales y compuestos. Existen diferentes tipos de barro, cada uno con utilidades diferentes tales como:

- Barro o arcilla ⟶ para limpiar la piel.
- Barro cocido y gres rústico ⟶ para decoración en el hogar.
- Barro rojo ⟶ para productos de belleza.
- Barro negro ⟶ para artesanías como vasijas y jarrones.

Materiales experimento #2:
- 2 ½ cucharadas de harina de trigo por niño.
- 1 Taza de sal por niño.

- 1 Taza de agua por niño.
- Colorante vegetal.
- Recipiente para hacer la mezcla.
- Varias tazas de medir o medidor.
- Palitos para mezclar.
- 1 par de guantes por niño.

El barro está compuesto principalmente de minerales que muestran plasticidad al ser mezclados con agua y dureza al exponerlo al calor. En esta actividad, se podrá observar que la sal hace las funciones de los minerales siendo ésta un compuesto iónico, $NaCl$. La sal puede ser generada mezclando una base ($NaOH$) con un ácido (HCl):

$$NaOH + HCl \longrightarrow NaCl + H2O$$

A su vez, cuando está en contacto con el agua es capaz de ionizarse (disociarse en sus iones):

$$NaCl + H2O \longrightarrow Cl- + Na+$$

Por esto, el barro es capaz de mantener su plasticidad.

Procedimiento:

1. Consiga un recipiente para mezclar los ingredientes.
2. Vierta 2 ½ cucharadas de harina de trigo en el recipiente, 1 taza de sal, 1 taza de agua.
3. Mezcle vigorosamente los ingredientes con un palito de madera.
4 Si la mezcla está muy líquida, vierta un poco de harina de trigo adicional para que ésta espese.
5. Siga mezclando, hasta que la mezcla tenga una apariencia pastosa. Si desea le puede añadir color para que el barro sea colorido y divertido.

Experimentos #3: Polimerización (Globos que no explotan)
Edades: Todas las edades. 4-7 años son observadores; 8-14 años realizan el experimento

Materiales experimento #3:

- 2 globos por niño.
- 1 palito de pincho por niño.

Dios creó los polímeros y permitió que nosotros los descubriéramos. Esto ha posibilitado que el ser humano haya podido crear grandes inventos que han sido de beneficio para toda la humanidad.

En este experimento se estudia el concepto de los polímeros, los cuales son macromoléculas (generalmente orgánicas) formadas por la unión de moléculas más pequeñas llamadas monómeros. Esta composición es por la cual está formada la mayoría del material plástico. Una forma de explicar este concepto es por medio de la unión de dos o más «clips»; cada uno representa un monómero y al unirlos son polímeros. A medida que son entrelazados se hacen más fuertes y menos flexibles. La suma de muchas cadenas de polímeros forma el plástico.

La flexibilidad de los polímeros hace del plástico y la goma unos excelentes selladores, estos pueden dejar que gases como el aire o líquidos como el agua se muevan hacia dentro o hacia fuera de un envase. Ej. Los tapones de goma que se utilizan para tapar tinas o bañeras. También la diversidad de esta flexibilidad es la que constituye las diferencias en las bolsas plásticas, ya que hay unos plásticos más gruesos que otros. Una bolsa de basura con cadena de polímeros débiles se romperá mucho más fácil y rápido. La forma de pasar el palito de pincho a través del globo sin que éste se explote es atravesarlo por ambos extremos verticales donde encuentras la parte más gruesa del globo, en éstas dos partes hay mayor concentración de polímeros y éste va a hacer que el globo quede sellado con el palito de pincho y no explote. Aquí vemos la flexibilidad de los polímeros.

Procedimiento:

- Se utilizará 1 globo lleno de aire, el cual se entregará a cada participante y se les pedirá que traten de traspasar el globo con un palito de pincho a través de dos de sus extremos.
- Antes de que los participantes lo intenten, pregúnteles cual es su hipótesis, ¿se explotará el globo o no se explotará?
- Una vez anuncien su hipótesis, permita que intenten atravesarlo y prueben su hipótesis.
- El facilitador preguntará, qué concluyeron luego de su experimentación y luego intentará atravesarlo por ambos extremos para permitirles ver que sí es posible atravesar el globo por las propiedades de la polimerización.
- Luego los participantes podrían realizar un segundo intento para observar los resultados.

Explicación:

Los participantes podrán presenciar que para probar que una hipótesis sea correcta muchas veces necesitamos realizar el experimento más de una vez. Luego de esto, puede hablarle de los grandes inventos de los que hoy gozamos gracias a los descubrimientos de las propiedades del polímero y puede mencionar todas las cosas que se han podido crear con el plástico, que han traído grandes beneficios a la sociedad, como por ejemplo, equipos médicos que le han salvado la vida a muchas personas. Posiblemente en su salón de clase usted pueda permitir que los participantes identifiquen todas las cosas que están compuestas por polímeros y mencionar su gran utilidad (mesas de plástico, sillas de plástico, envases, entre otros).

Puedes llevar un zapato deportivo y demostrar la parte del agarre que tienen los mismos en la suela de goma. Esta está hecha de un polímero denso de espuma, llamado el poliuretano y es el mismo material que se usa para construir las gomas de las patinetas. Muchos de los cordones o trenzas de los tenis, son hechos de una mezcla de polímeros sintéticos de cuero o algodón. ¡Dios fue bueno al crear los polímeros, cuantas cosas buenas hoy tenemos que han sido dadas gracias a su mano!

Sugerencias:

- Debido al peligro con los palitos de pincho, los niños de 4 a 7 años pueden solo observar el experimento realizado por el facilitador.

- Los niños de 8 a 14 años pueden realizar el experimento por sí mismos.

EXPERIMENTO #4: PH – ÁCIDOS Y ALCALINOS

Edades: Todas las edades. 4-7 años son observadores; 8-14 años realizan el experimento.

¿Qué son ácidos y bases?
Los ácidos y bases son dos tipos de sustancias que de una manera sencilla se pueden caracterizar por las propiedades que manifiestan.

Los ácidos:
- Tienen un sabor ácido
- Dan un color característico a los indicadores (ver más abajo)
- Reaccionan con los metales liberando hidrógeno
- Reaccionan con las bases en proceso denominado neutralización en el que ambos pierden sus características.

Las bases:
- Tienen un sabor a margo
- Dan un color característico a los indicadores (distinto al de los ácidos)
- Tienen un tacto jabonoso.

En la tabla que sigue aparecen algunos ácidos y bases corrientes:

Ácido base	Dónde se encuentra
Ácido acético	Vinagre
Ácido salicílico	Aspirina
Ácido cítrico	Vitamina C
Ácido cítrico	Zumos cítricos
Ácido clorhídrico	Sal fumante para limpieza, jugos gástricos
Ácido sulfúrico	Baterías de autos
Amoníaco (base)	Limpiadores, detergentes caseros
Hidróxido de magnesio	Leche de magnesia (laxante y antiácido)

¿Qué es el pH?
Los químicos usan la escala del pH para indicar de forma precisa la acidez o basicidad de una sustancia. Normalmente oscila entre los valores de 0 (más ácido) y 14 (más básico). El valor 7 es neutro. En la tabla siguiente aparece el valor del pH para algunas sustancias comunes.

pH que presentan algunas sustancias corrientes:

Sustancia	pH	Sustancia	pH
Jugos gástricos	2,0	Amoníaco casero	11,5
Limones	2,3	Leche de magnesia	10,5
Vinagre	2,9	Pasta de dientes	9,9
Refrescos	3,0	Disolución saturada de bicarbonato de sodio	8,4
Vino	3,5	Agua de mar	8,0
Naranjas	3,5	Huevos frescos	7,8
Tomates	4,2	Sangre humana	7,4
Lluvia ácida	5,6	Saliva (al comer)	7,2
Leche de vaca	6,4	Agua pura	7,0

¿Qué es un indicador?

Los indicadores son colorantes orgánicos, que cambian de color según estén en presencia de una sustancia ácida, o básica.

El indicador que utilizaremos para el experimento es el líquido de col lombarda o repollo lila. Estas contienen en sus hojas un indicador que pertenece a un tipo de sustancias orgánicas denominadas antocianinas.

Asegúrese de extraer esta sustancia de sus hojas el día antes.

Para extraerlo:

- Corte unas hojas de ropollo morado (cuanto más oscuras mejor).
- Hiérvalas en un recipiente con un poco de agua durante al menos 10 minutos.
- Retire el recipiente del fuego y déjalo enfriar.
- Filtre el líquido (se puede hacer con un colador o un trozo de tela vieja).
- Ya tiene el indicador (el líquido filtrado).

Las características del indicador obtenido son:

Indicador extraído del repollo:

Color que adquiere	Medio en el que está
Rosa o rojo	Ácido
Azul oscuro	Neutro
Verde	Neutro

Materiales Experimento #4:

- 1 col o repollo morado (por cada 25 participantes).
- 1 olla y estufa.
- De 4 a 6 jarras para almacenar el líquido de col (repollo morado).

- 2 sustancias ácidas de las que se menciona en el experimento.
- 2 sustancias bases de las que se menciona en el experimento.
- 6 vasos transparentes por mesa.
- 1 envase grande para verter los desperdicios de líquido al final del experimento.

Procedimiento:
- Sugerimos que divida a los participantes en grupos de 4 por cada mesa
- Coloque en cada mesa un set de:
- 2 vasos transparentes con líquido de lombarda o repollo morado.
- 2 vasos transparentes con dos sustancias ácidas.
- 2 vasos transparentes con dos sustancias bases o alcalinas.
- Pregunte a los niños qué piensan que sucederá cuando viertan líquido de los repollos morados en el vaso de la sustancia ácida, y pregúnteles qué creen que sucederá cuando viertan el líquido de los repollos en el vaso de las sustancias base. Permita que anuncien sus hipótesis.
- Luego los participantes en cada grupo verterán el líquido de lombarda en cada una de las sustancias.
- Deben anotar y compartir qué sucedió en sus mesas.

Explicación:

Dios creó todas las sustancias del universo. Algunas de las propiedades de los ácidos y las bases determinan sus usos. El más común es eliminar el exceso de uno de ellos utilizando el otro, por medio de una neutralización. Esta reacción se utiliza habitualmente para eliminar el exceso de acidez del estómago con bases débiles, como la leche de magnesia (hidróxido de magnesio) y para regular la acidez de la boca con enjuagues bucales o dentífricos.

Los suelos naturalmente tienen un pH de 3.5 a 8.5 y como el óptimo para la mayoría de los cultivos es de 6 a 7, si es necesario se ajusta con cal si está demasiado ácido o con azufre o algún sulfato si está muy alcalino.

Otro uso similar tiene lugar en el proceso de potabilización del agua donde debido al agregado de sustancias como el cloro, se acidifica por lo que se le agrega cal antes de enviarla a la red. La capacidad de las bases de reaccionar con las grasas dando como producto jabón (saponificación), explica su uso en productos para limpiar el horno o destapar cañerías.

EXPERIMENTO #5: RUEDA HIDRÁULICA.

Edades: Todas las edades. 4-7 años son observadores; 8-14 años realizan el experimento.

La rueda hidráulica es un ingenio mecánico en forma de ruedas con paletas o «rodeznos», que al chocar el agua en ellos, hacen que la rueda gire sobre su eje. Tiene como objetivo el aprovechamiento energético de la fuerza de una corriente de agua y la recolección de agua para su posterior utilización. Sus principales ventajas son su resistencia, limpieza y posibilidad de operar con grandes fluctuaciones de la corriente de agua. Gracias a esta invención pueblos sin electricidad, han podido gozar de una gran fuente de energía comparable a la electricidad.

Trasfondo histórico:

La rueda hidráulica ya era conocida por los griegos y los romanos, aunque hasta la Edad Media no se extendió su uso de forma masiva. La aplicación del principio de la rueda hidráulica al aprovechamiento de la energía potencial acumulada en el agua, para transformarla en energía cinética, constituye uno de los mayores descubrimientos técnicos, comparable a la electricidad o a la energía atómica.

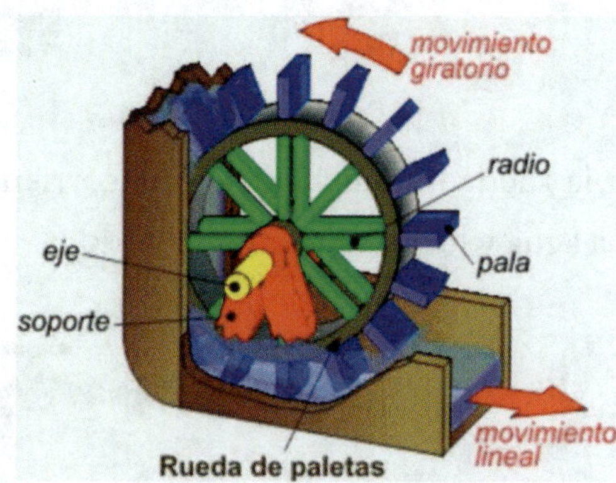

Materiales Experimento #5:

- Regla.
- Lápiz.
- Tijeras.
- Cartón.
- 1 Carrete de hilo vacío.
- 1 Pajilla
- Pegamento fuerte.
- Cinta adhesiva.
- Pluma de agua.

Procedimiento:

1. Medir y cortar cuatro cuadros de cartón que tengan 4 cm. de largo por 2 cm. de ancho.

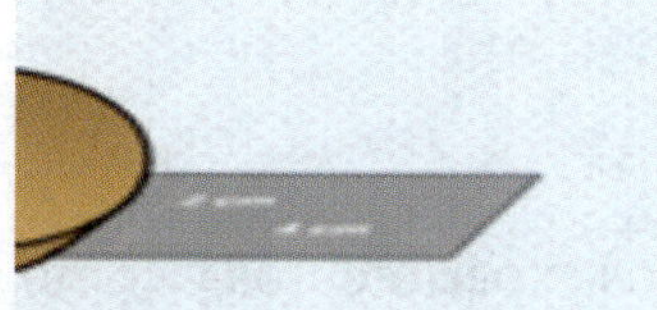

2. Pegar cada trozo de cartón en el carrete, sobre su parte cilíndrica, con la misma distancia entre uno y otro.

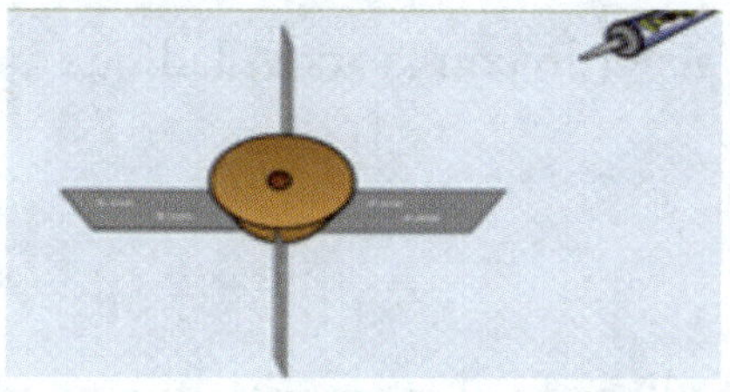

3.   Pasar la pajilla por el agujero del carrete para que la rueda hidráulica gire libremente.

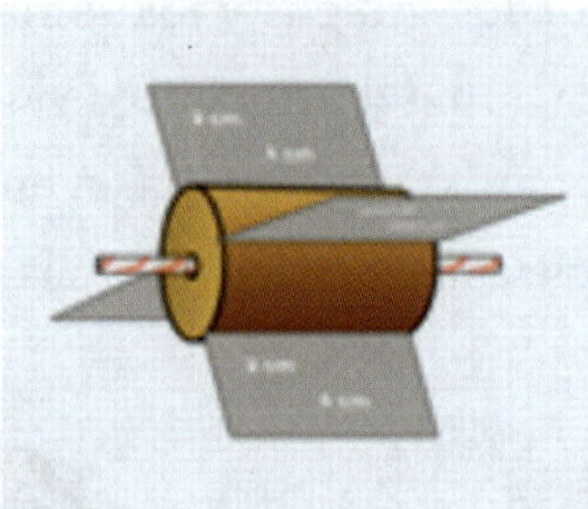

4.   Colocar la rueda hidráulica bajo una corriente o chorro de agua de la llave (pluma). Primero con poca presión del agua y luego se va aumentando.

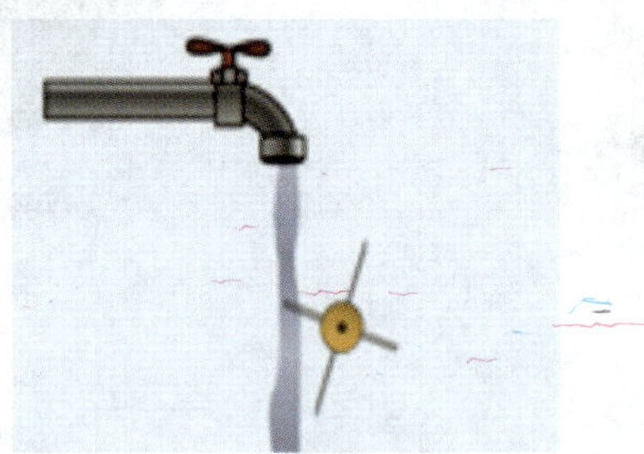

Instrucciones previas al proyecto:

1. Identificar lugares, preferiblemente salones o aulas de clase con lo siguiente:

- 1 mesa por cada 4 o 5 niños con sillas para cada uno y para los líderes de grupo.
- 1 mesa o mueble con todos los materiales en cada salón o aula de clase.

Nota: La cantidad de salones o aulas de clase, dependerá de la cantidad de participantes.

2. Identificar y entrenar a los líderes de grupo hasta que entiendan el contenido del material a trabajar y puedan dirigir la actividad.

Importante: Se deberá realizar previamente cada experimento. Se debe tener listo un modelo previo para cada experimento el cual los participantes puedan ver.

3. Se recomienda dividir el grupo total de participantes en tres grupos por edades.

- Grupo # 1: De 4 a 7 años
- Grupo # 2: De 8 a 11 años
- Grupo # 3: De 12 a 14 años

4. Los líderes de grupo deberán estudiar sus experimentos y cómo explicarlos previo a la actividad.

- Líderes del grupo #1: Deberán estudiar y dominar los experimentos del 1 al 4.
- Líderes del grupo #2 y #3: Deberán estudiar y dominar los experimentos # 1, 3, 4, y 5.

Prepare los salones o aulas de clase de acuerdo con la actividad que a cada uno le corresponda e incluir en ellos lo siguiente:

Instrucciones a los participantes:

a. Se explicará a los participantes que ha llegado el momento que puedan ver de forma práctica cómo al estudiar el orden de las cosas con sabiduría pueden crear y hacer ciencia para el beneficio de los pueblos y naciones.

    b. Se les dividirá en grupos pequeños por mesas.

    c. Se les enseñara lo útil del método científico.

    d. ¡Comience a realizar cada uno de los experimentos!

Esfera #5: Artes y Entretenimiento

TÍTULO: El Reino de Dios es belleza.

TIEMPO: 1 hora y 30 minutos.

EDADES: Se mezclan las edades.

- Los participantes escogen la actividad dentro de las alternativas que se ofrecen de acuerdo a su preferencia.

PRINCIPIO PARA REFORZAR: La belleza de Dios trae descanso, recreo y restauración al alma.

ESCRITURA: Génesis 1:1 «En el principio creó Dios los cielos y la tierra» (LBLA).

OBJETIVOS:

- Que los participantes puedan producir obras de arte que reflejen la belleza de Dios y traigan descanso, recreo y restauración al alma.
- Explorar distintas disciplinas del arte, estilos y géneros que podemos utilizar para transformar la esfera de las artes en nuestra sociedad.

DESCRIPCIÓN DEL PROYECTO:

En este proyecto los participantes deberán crear obras de arte que reflejen la belleza de Dios y que traigan descanso, recreo y restauración al alma, a través de murales, arquitectura (maquetas), sombras chinescas, artes plásticas, cánticos (voces) y coreografía.

INSTRUCCIONES GENERALES PREVIAS AL PROYECTO:

1. Identificar un área de trabajo o salón para cada actividad de arte en la que trabajarán.

2. Preparar el área de trabajo para cada grupo pequeño de acuerdo a la actividad que realizarán. Para cada área se necesita:

- Mesas o pupitres de acuerdo a la actividad.
- Letreros con el nombre de cada actividad artística, ejemplo: «ARQUITECTURA», «VOCES».

- Materiales necesarios para cada grupo.
- Hoja de instrucciones del proyecto.
- Artículos de limpieza como trapeador/mapo, 1 cubeta y trapos para limpiar superficies.
- 1 caneca de basura grande con bolsa por cada 5 grupos.

Nota: Cada actividad de arte cuenta con unas instrucciones específicas previas al proyecto.

1. Capacitar a los facilitadores para cada medio artístico en el que trabajarán.

2. Se recomienda que permita a los niños escojer la actividad de arte de su preferencia. Si la cantidad de participantes es muy grande, sugerimos que usted distribuya previamente a los participantes en las diferentes actividades artísticas seleccionadas.

I. Mural de pintura

Edades: Se mezclan las edades. Los niños voluntariamente escogen la actividad de su preferencia.

Descripción de la actividad:

Al realizar una obra de arte se debe reflejar la belleza del Reino de Dios y traer descanso, recreo y restauración al alma. Se preparará con pinturas un mural en un pedazo de cartón, en el cual expresaremos una cualidad que describa el carácter de Dios.

Instrucciones previas a la actividad:

1. Si el cartón donde se pintará el mural no es blanco, se debe pintar el día anterior con pintura blanca de agua o acrílico.

2. Para cada mural, se debe colgar un toldo o plástico en la pared, de modo que caiga hasta el suelo y proteja ambas superficies de cualquier accidente con la pintura (en forma de L).

3. Colocar sobre el toldo la pieza de cartón donde realizarán el mural.

4. Se necesitará 1 mesa por grupo pequeño, cubierta con papel o plástico y 1 mesa para el maestro.

5. Sobre la mesa de trabajo de cada equipo, colocar:

    a. Temperas o pintura de colores.

    b. Pinceles.

    c. Envases plásticos con agua, para limpiar pinceles.

*Recordar a los niños llevar su lápiz.

Materiales:

- 1 panel de cartón tamaño 150 cm. X 150 cm. aproximadamente por grupo pequeño (preferiblemente blanco, de no ser blanco, se necesitará ¼ de galón de pintura blanca de agua o acrílica por panel).
- 1 toldo o paño plástico 160 cm. X 200 cm. aproximadamente por grupo (debe ser un poco más grande que el cartón donde trabajarán su obra pues se usará para proteger la pared y el piso).
- Soga o soguilla para amarrar el toldo.
- 1 mesa por grupo pequeño.
- Papel o plástico para cubrir cada mesa de trabajo.

- Témpera o pintura de colores para cada grupo, entre los cuales se debe proveer: rojo, amarillo, azul, verde, marrón, blanco, negro, y otros.
- 1 pincel por niño.
- 2 envases de plásticos por grupo.
- Agua.
- Cinta adhesiva.

Instrucciones de la actividad:

1. El líder de grupo pequeño explicará a los participantes la descripción del proyecto.

2. El líder debe guiar a los niños a que escojan una cualidad del carácter de Dios que será el tema de su obra.

3. Cada niño escogerá qué parte del mural desea realizar y se les mostrarán todos los materiales con los que cuentan. Se recomienda que primero trace el dibujo con lápiz y luego se pinte.

4. Se debe indicar cuánto tiempo le resta para terminar su actividad y se dará inicio a la misma.

5. Al terminar deberán recoger y limpiar el área de trabajo, y el mural se dejará en su lugar hasta que esté seco.

II. Arquitectura: Maqueta de una ciudad
Edades: Se mezclan las edades. Los niños voluntariamente escogen la actividad de su preferencia.

Descripción de la actividad:

Dios es el arquitecto por excelencia. Es el arquitecto de la Creación, la obra más grande y de mayor esplendor jamás observada en la historia, y nosotros somos parte de ese diseño. Dios nos creó para habitar la tierra y para ser mayordomos de ésta. A través de la arquitectura podemos diseñar ciudades que reflejen la belleza y el orden del Reino. En el día de hoy estaremos explorando cómo a través de la arquitectura, utilizando otros elementos del arte, podemos diseñar una ciudad que refleje belleza, orden y bondad. Para lograr esto, cada grupo trabajará en la elaboración de un área muy importante de la ciudad.

Instrucciones previas a la actividad:

1. Se debe preparar una mesa con sillas para cada grupo pequeño, cubierta con papel o plástico. Se necesitarán de una a dos mesas para colocar la maqueta y el maestro deberá tener una mesa para sus materiales.

2. Se organizarán los materiales que cada grupo utilizará sobre su mesa de trabajo.

3. Se dividirán los niños en grupos pequeños distribuidos en las diferentes áreas de trabajo de la maqueta. Estas son las distintas áreas en las que se podría dividir la labor por grupo:

    a. Plataforma de la maqueta, áreas verdes.

        ► Árboles para las viviendas y calles; parque recreacional con áreas verdes para la comunidad; bosque forestal.

    b. Casas

        ► Casitas con su jardín.

    c. Iglesia, universidad y hospital.

    ▸ Iglesia; universidad; hospital.

    d. Gobierno.

    ▸ Capitolio; carreteras; señales de tránsito; semáforos; postes de luz.

    e. Edificios de trabajo, comercios.

    ▸ Edificios de oficinas; tiendas.

    f. Parque de las ciencias y automóviles.

    ▸ Parque de estudios con telescopios, cohetes, zoológico, etc.; automóviles y medios de transporte.

    g. Centro de bellas artes y salas de teatro.

    ▸ Teatro; centro de bellas artes para actividades de la comunidad con estacionamiento y jardines.

    h. Estación de radio, televisión e imprenta.

    ▸ Estación de radio; estación de televisión; imprenta.

    i. Personas.

    ▸ Familias; trabajadores; 1 doctor; 1 gobernador; 1 pastor; 1 cantante; 1 músico; 1 científico; 1 maestro, entre otros.

III. Arcilla: Tema libre, creación de un objeto

Edades: Se mezclan las edades. Los niños voluntariamente escogen la actividad de su preferencia.

Materiales:

- Un pedazo de arcilla o barro por participante.
- (1) pedazo de cartón 30 cm. X 30 cm. por niño.
- (4) envases con agua para el grupo.
- Toallas húmedas o agua y jabón, papel toalla.

Procedimiento de la actividad:

1. Distribuya un poco de arcilla o barro de moldear a cada participante.

2. Diga: Imagínense que Dios acaba de entregarles este trozo de material sin forma alguna. Moldéenlo y denle la forma que mejor les parezca. Por ejemplo, pueden moldear una flor, un árbol, un pájaro, un animal.

3. Después de que todos hayan concluido, pida que cada uno por turno, explique su creación y diga por qué la escogió. Pregunte:

    a. ¿Qué dificultad hubo al empezar con una masa sin forma? *Posible respuesta:* (No sabía que hacer; fue difícil crear algo sin contar con un modelo).

    b. ¿Cómo decidieron qué crear? *Posible respuesta:* (Pensé en algo que me gustaba, pensé en algo sencillo).

    c. ¿Qué tiene de especial el objeto que usted creó? *Posible respuesta:* (Yo lo hice; refleja en cierto modo mi personalidad).

    d. ¿En qué se parece su acción de crear algo en arcilla con la acción de Dios al crear el mundo?

Posible respuesta: (La creación es una expresión de la personalidad de Dios; la creación de Dios es importante para Él).

4. Diga: Algunas veces nos preguntamos cómo apareció nuestro mundo y toda la belleza que hay en él.

Miremos algunas pistas en Génesis 1 y 2.

III. Sombras chinas o chinescas

Edades: Se mezclan las edades. Los niños voluntariamente escogen la actividad de su preferencia.

Hacer sombras chinescas (chinas) consiste en crear animales simplemente entrelazando las manos y los dedos con habilidad y usando una fuente de luz que proyecte la sombra en un fondo blanco para amplificarla. Sólo necesitas un par de manos, una fuente de luz, una pared lisa y... ¡mucha imaginación!

Instrucciones previas a la actividad:

1. Previamente se deben crear las sombras chinescas de cada personaje de la historia bíblica que se contará.

2. Preparar escenografía de las sombras chinescas cubierta por una cortina de tela blanca.

3. Preparar el foco de luz que se utilizará detrás de la cortina en dirección al público.

4. Seleccionar la música que utilizarán durante la narración.

Esta es una imagen que muestra un ejemplo de cómo se verían las sombras chinescas ya creadas detrás del telón, iluminadas por el foco de luz.

Aquí se encuentra un ejemplo de un libreto basado en Génesis 1 sobre la Creación: para acompañar las sombras chinescas.

—En el principio Dios creó los cielos y la tierra.

—Y la tierra estaba sin orden y vacía, y las tinieblas cubrían la superficie del abismo, y el Espíritu de Dios se movía sobre la superficie de las aguas.

—Y dijo Dios: Sea la luz. Y hubo luz.

—Y vio Dios que la luz era buena; y separó Dios la luz de las tinieblas.

—Y llamó Dios a la luz día, y a las tinieblas llamó noche.

—Y de esta manera terminó el primer día y la primera noche de la creación.

—Luego Dios dijo: Haya expansión sobre las aguas, y llamo Dios a la expansión cielos, y esto fue en el segundo día.

—En el tercer día, apareció lo seco de entre las aguas.

—Y llamó Dios a lo seco tierra.

—Y a las aguas mares. Y vio Dios que era bueno.

—Luego Dios hizo la hierba y sembró raíces en la tierra y toda clase de planta.

—Y produjo la tierra vegetación: hierbas que dan semilla según su género, y árboles que dan fruto con su semilla en él, según su género. Y vio Dios que era bueno.

—En el cuarto día Dios dijo: haya lumbreras en la expansión de los cielos para separar el día de la noche, y para señalar las estaciones.

—Hizo Dios dos lumbreras, a la lumbrera mayor le llamó sol, para alumbrar durante el día; y a la lumbrera menor, le llamó luna, para que brillase en la noche. Alrededor de la luna, él colocó las estrellas.

—En el quinto día Dios creó todas las criaturas del mar y los cielos. Los pájaros volaban por los aires, mientras que en las profundidades de las aguas nadaban grandes peces silenciosamente.

—En el sexto día Dios creó a todos los animales, desde las bestias más salvajes del desierto y las junglas, hasta el ganado que pasta en los campos.

—Y dijo Dios: «Debo hacer al hombre para que gobierne sobre ellos». Así que de la misma tierra Dios creó al ser humano; creó al hombre y a la mujer a su imagen y semejanza. Y esto ocurrió en la mañana y noche del sexto día.

—En el séptimo día Dios descansó, pues su trabajo había terminado, y vio Dios que todo lo creado en el mundo era bueno.

—La creación del universo es la obra de arte más grandiosa y de mayor esplendor vista en la historia. Nosotros somos parte de ese diseño y la creación más importante. Dios nos creó para relacionarnos con Él y vivir en su amor, por eso nos permitió habitar la tierra y ser mayordomos de ésta. Tú y yo tenemos un lugar en su historia y una historia que contar.

Materiales:

- 10 mt. x 3 mt. de tela blanca semi-transparente.
- Foco de luz.
- Música para la narración.
- Equipo de sonido con micrófono.
- Mesa.
- Cartón para hacer las figuras.
- Papeles traza.
- Pintura de algunos colores.
- Palos de madera finos.

- Cinta adhesiva.
- Hilo de pescar.
- Lugar oscuro.
- Libreto del pasaje bíblico.

Instrucciones de la actividad:

1. Se le muestra al grupo el efecto de luces que se necesita para lograr la sombra chinesca.

2. Se le asigna a cada niño un personaje diferente y su posición detrás de la escenografía.

3. Se lee el pasaje bíblico y a medida que se desarrolle la narración y se mencionen los nombres de sus personajes, los participantes tendrán la intervención sobre la luz chinesca.

4. A medida que se desarrolla el ensayo, el facilitador les irá corrigiendo las entradas, las salidas del escenario y el movimiento que se espera que cada uno tenga.

5. Se ensaya varias veces hasta que se logre la pieza de sombras chinescas de principio a fin junto con la música seleccionada.

IV. Canto

Edades: Se mezclan las edades. Los niños voluntariamente escogen la actividad de su preferencia.

Materiales:

1. Papel.

2. Lápiz.

3. Una guitarra (opcional) ó cualquier otro instrumento con el que se cuente.

Instrucciones previas a la actividad:

1. Los participantes deben llevar su Biblia, lápiz y carpeta.

2. Se debe asignar un facilitador para este grupo con destrezas de canto.

Instrucciones de la actividad:

1. El facilitador de esta área explicará a los participantes la descripción del proyecto.

2. Los participantes escogerán el tema de la canción basado en el carácter de Dios.

3. Deberán componer cada parte de la canción, las estrofas y el coro.

4. Deberán memorizar la letra hasta lograr cantarla de principio a fin.

5. Se sugiere que el facilitador de este grupo tenga buenas destrezas de canto y durante el proceso y el desarrollo de la canción les enseñe conceptos básicos de cómo escribir una canción y cómo entonar.

V. Arte coreográfico

Edades: Se mezclan las edades. Los niños voluntariamente escogen la actividad de su preferencia.

Descripción de la actividad:

Se montará una pieza coreográfica con los participantes. El arte coreográfico es un medio artístico, el cual sirve para mostrar a otros el orden y la belleza de Dios; cuando lo que comunica va conforme a la realidad, trayendo descanso y recreo al alma. Es también un puente entre el artista y el espectador que sirve para impartir un mensaje de verdad.

Escritura: Génesis 1:1-2 «En el principio Dios creó los cielos y la tierra» y «La tierra estaba desordenada y vacía…» Dios es el primer artista; el creador del universo, y trae orden y belleza. Este es el mensaje que comunicaremos al montar esta coreografía. Debemos alabar y adorar a Dios con todo, como dice el salmo 150 «…con pandero y danza…».

Instrucciones previas a la actividad:

1. Seleccionar un facilitador con destrezas de arte coreográfico que dirija esta actividad.

2. Seleccionar una canción, la cual podrá ser montada como pieza coreográfica.

3. Se deberá montar la pieza coreográfica tomando en cuenta las edades de los participantes que la ensayarán. Se recomienda grabarla en video para guardar el registro de los pasos.

4. Grabar previamente la canción en CD o iPod.

Materiales:

1. Pieza musical en iPod o CD.

2. Equipo de sonido o radio.

3. Extensiones de corriente eléctrica (de ser necesario, lo determinará el lugar).

4. Ropa adecuada y cómoda para hacer ejercicios.

5. Cinta adhesiva de papel color crema.

Instrucciones de la actividad:

1. De acuerdo a la cantidad de participantes, se deben marcar con cinta adhesiva las posiciones que cada uno ocupará.

- Se explicará a los participantes la descripción de la actividad.

2. Se colocarán a los participantes en sus posiciones tomando en cuenta su estatura y a medida que montan la pieza, tomando en cuenta su habilidad y expresiones.

3. El manejo del montaje de la coreografía debe ser guiado por el facilitador en todo momento.

VI. Arquitectura (maquetas)

Ejemplos de construcciones con papel de colores y plastilina:

Edificio de
oficinas

Iglesia

Hospital

Parque recreacional

Animales

Cancha de Fútbol

Esfera #6: Comunicaciones

TÍTULO: Transformar los medios de comunicación.

TIEMPO: 2 horas.

EDADES: Se mezclan las edades. Los niños voluntariamente escogen la actividad de su preferencia.

PRINCIPIO PARA REFORZAR: La voluntad soberana de Dios en la creación del hombre y la capacidad individual de elegir, escuchar, ver, creer y expresar lo que decidimos.

ESCRITURAS: Salmo 119:160; «La suma de tu palabra es verdad, y cada una de tus justas ordenanzas es eterna» (LBLA). 1 Tesalonicenses 5:21 «Antes bien, examinadlo todo *cuidadosamente*, retened lo bueno» (LBLA).

OBJETIVOS:

- ► Que los participantes puedan ver que Dios es soberano y nos ha dado la capacidad de elegir, escuchar, ver, creer y expresar lo que decidimos.
- ► Mostrar a los participantes las distintas maneras en que se puede impactar la sociedad utilizando distintos medios de comunicación para expresar verdad.

DESCRIPCIÓN DEL PROYECTO:

Se les explicará a los participantes la amplia gama de áreas de trabajo en los medios de comunicación. Luego formarán grupos de trabajo para realizar su proyecto de comunicación, brindándoles la oportunidad de producir un noticiero de televisión, un programa de radio, anuncios publicitarios, un periódico, un «blog» en la internet (si cuenta con wifi) y un tablón de edictos escolares. Todos los medios deberán comunicar e informar sobre las esferas de: familia, gobierno, educación, economía, ciencia y artes.

Los miembros de los grupos de cada medio deberán contar con:

- *Un editor:* Organizará y supervisará las diferentes funciones. Realizará cualquier tipo de corrección al material. Dará instrucciones y acordará con el grupo cuáles serán los temas a informar y cuáles serán las primeras planas.

- *Un productor:* Es el encargado de realizar el montaje y la presentación del material informativo. Es el asistente del editor. Dependiendo el medio, escoja tipografías y diseñe el arte del periódico, blog o revista; edite el sonido narrativo y musical en radio o televisión y edite los visuales en ésta última.
- *Un fotógrafo*/artista gráfico/camarógrafo/técnico: estos aplican en los casos de televisión, radio, periódico y blog. También es el asistente del productor.
- El resto de los miembros serán reporteros: Seleccione, evalúe y registre información acerca de un hecho y la organiza en un relato de lo que, desde su punto de vista, constituye la esencia y los elementos más importantes de la noticia. Dependiendo del medio, esta narración será suministrada por escrito, visual o verbalmente a producción.

Los miembros de cada grupo contarán con una función; pero ello no implicará que no podrán colaborar en las diferentes áreas de un medio. Todo lo contrario, permita que los participantes se ayuden mutuamente y trabajen en equipo.

Proceso general de trabajo en cada medio de comunicación:

1. Cada grupo pequeño se reunirá para:

a. Señalar funciones.

b. Planificar el orden y la estructura de su medio.

c. Decidir los temas de la comunicación para cada esfera.

d. Formular las preguntas para las entrevistas.

2. Los reporteros saldrán a realizar entrevistas.

3. Los fotógrafos y camarógrafos tomarán los visuales pertinentes.

4. Cada editor tomará notas de las respuestas, organizará y supervisará las diferentes funciones.

5. El productor trabajará en el montaje y la presentación de la comunicación.

6. Cada editor corregirá y se asegurará que se pase en limpio su noticia en el medio correspondiente.

Instrucciones generales previas a cada proyecto:

1. Identificar un área de trabajo o salón para cada medio de comunicación en el que trabajarán.

2. Preparar cada área de trabajo para los grupos pequeños de acuerdo al medio de comunicación en el que trabajarán con lo siguiente:

    a. Mesas o pupitres de acuerdo a la actividad. Para el noticiero de televisión se deberá montar previamente la escenografía del programa.

    b. Letreros con el nombre de cada medio de comunicación en el que trabajarán; ejemplo: «ESTACIÓN DE RADIO».

    c. Materiales necesarios para cada grupo.

    d. Hoja de instrucciones del proyecto.

3. Capacitar a los facilitadores que servirán de guía en cada medio de comunicación.

4. Seleccionar el personal que servirá como especialistas de las esferas de la sociedad. Deben ser personas preparadas para contestar múltiples preguntas sobre las esferas de la sociedad.

5. Distribuir previamente a los participantes en los diferentes medios de comunicación seleccionados.

- Periódico.
- Blog.
- Noticiero de television.
- Estación de radio.
- Tablón de edictos.
- Anuncios publicitarios.

6. Dividir a los participantes en grupos pequeños dentro de cada medio de comunicación de ser necesario.

Actividades sugeridas dentro de la esfera de comunicaciones:
Edades: 4-7 años trabajan juntos y seleccionan 1-2 actividades dentro de las altrenativas que se ofrecen; De 8-14 años se mezclan las edades y cada participante escoge la actividad de su preferencia.

I. Periódico
Instrucciones del proyecto:
1. Este grupo tendrá la encomienda de crear un periódico con reportajes de cada una de las esferas de la sociedad que han estudiado hasta este día. Puede realizar sus noticias en base a las actividades de clase y proyectos en las que han participado.
- Permita que de forma voluntaria seleccionen sus diferentes funciones entre: productor, editores, fotógrafo o artista gráfico y reporteros.
- Asegúrese de que por cada noticia y para la portada, haya grupos de dos participantes o más.

2. Una vez divididos en grupos pequeños, se les anunciará que tendrán 1 hora aproximadamente para realizar la primera fase del proyecto donde tendrán que:
- Escoger el titular de su artículo.
- Comenzar con el desarrollo de la noticia de acuerdo a lo aprendido en clase.
- Diseñar el arte gráfico.
- Los reporteros podrán salir a entrevistar al personal u otros participantes involucrados en las noticias.

3. Para finalizar, luego de tener listo el borrador de sus noticias deberán pasarlo en limpio:
- Editar el contenido.
- Verificar la ortografía.
- Terminar el arte gráfico.

4. Por último, se montará el artículo en su sección del periódico y se tendrá listo para reproducirlo. Se podrá reproducir a los distintos grupos pequeños o para cada participante dependiendo de la disponibilidad.

Materiales:
Opción #1: Periódico en computadora.
- Biblia, carpeta y lápiz para tomar notas.
- Computadora e impresora.
- Papel para imprimir el periódico.

- Cámara fotográfica.
- Grapadora y grapas.

Opción #2: Periódico hecho a mano.

- Biblia, carpeta y lápiz para tomar notas.
- Bolígrafos: negro, azul y rojo.
- Papel para crear el periódico y papel de colores.
- Lápices de colores o marcadores.
- Tijeras.
- Pegante.
- Revistas con imágenes relacionadas a las distintas esferas.
- Grapadora y grapas.

II. Publicación en un «Blog»

Edades: 4-7 años trabajan juntos y seleccionan 1-2 actividades dentro de las altrenativas que se ofrecen; De 8-14 años se mezclan las edades y cada participante escoge la actividad de su preferencia.

Instrucciones previas al proyecto:

Un blog, (también se conoce como weblog o bitácora), es un sitio web que recopila cronológicamente textos o artículos de uno o varios autores, apareciendo primero el más reciente. Habitualmente, en cada artículo, los lectores pueden escribir sus comentarios y el autor darles respuesta, de forma que es posible establecer un diálogo. El uso o temática de cada blog es particular, los hay de tipo personal, periodístico, empresarial o corporativo, tecnológico, educativo, etc.

Son muchas las oportunidades con las que hoy contamos para tener espacios en la internet como páginas o blogs de forma gratuita o con algún costo. Para la creación de este proyecto, le mostraremos un ejemplo de cómo abrir un blog gratis a través de Google:

1. Entre a la página www.blogger.com, donde podrá abrir una cuenta para su blog.

2. Presione el botón de «Comenzar».

   a. Si la página le aparece en inglés puede presionar el botón que aparece en la parte izquierda de abajo como «Features».

   b. Aquí podrá ver varias funciones que le ofrece este blog.

   c. Presione: «Crea tu blog».

3. Deberá crear una cuenta con google, siguiendo los pasos pertinentes hasta crear su cuenta llenando los encasillados en blanco.

   a. Si ya tiene una cuenta con Gmail, el proceso será más fácil, presionando «Primero acceda a ella».

   b. Ingrese su correo electrónico, contraseña y luego presione acceder. Continúe llenando los enca sillados en blanco para crear su cuenta de blog.

4. Asigne el nombre del blog.

5. Escoja una plantilla de inicio y presione el botón de «Continuar».

6. Presione «Empezar a publicar».

7. Comience a crear el blog redactando la información recopilada por el grupo.

8. Utilice cada herramienta disponible en la ventana de «Redactar».

9. En «Vista previa» podrá ver cómo se verá su trabajo final.

10. Al terminar cada sección, presione «Publicar entrada» para que su trabajo se guarde y publicado.

11. Para cerrar su blog, presione «Salir» en la parte superior derecha de la página.

Instrucciones del proyecto:

1. Este grupo será dividido en 6 grupos de 2 participantes o más y cada grupo seleccionará 1 esfera para crear su artículo.

2. Permita que de forma voluntaria los participantes seleccionen sus diferentes funciones entre: productor, editores, fotógrafo o artista gráfico y reporteros.

3. Una vez divididos, se anunciará a los grupos las distintas tareas que tendrán que realizar para poder publicar sus artículos en una página web. Cada grupo pequeño deberá:

- Escoger el titular de su artículo.
- Desarrollar y redactar su artículo de acuerdo a lo aprendido en clase.
- Tomar fotografías, buscar imágenes en la internet o crear algún arte gráfico.

4. Al terminar el primer borrador del artículo deberán pasarlo en limpio:

- Editar el contenido, corregir la ortografía y terminar el arte gráfico.

5. Acceda a su blog creado previamente. Tenga a la mano el nombre de su cuenta y contraseña.

- Ejemplo:
  - ▸ Cuenta: ventana414@gmail.com
  - ▸ Contraseña: noticiudad***

6. Presione: Ver blog.

7. Comience a crear el blog, publicando la información recopilada por el grupo.

8. Utilice cada herramienta disponible en la ventana de «Redactar».

9. En «Vista previa» podrá ver cómo se verá su trabajo final.

10. Al terminar cada sección, presione *publicar entrada* para asegurar que su trabajo está siendo guardado y publicado.

11. Para cerrar su blog, presione *salir* en la parte superior derecha de la página.

12. Para que otros puedan entrar a su blog, deberán acceder a la dirección que hayan seleccionado.

Materiales:
- Biblia, carpeta y lápiz.
- Computadora.
- Internet.
- Cámara fotográfica.

III. Radio

Edades: 4-7 años trabajan juntos y seleccionan 1-2 actividades dentro de las altrenativas que se ofrecen; De 8-14 años se mezclan las edades y cada participante escoge la actividad de su preferencia.

Instrucciones del proyecto:

1. Este grupo deberá crear un programa radial el cual podrán grabar en una computadora.

2. Los temas deben estar relacionados con las esferas de la sociedad: familia, gobierno, educación, economía, artes y ciencia.

3. El grupo debe estar integrado por participantes que ocupen las funciones de: productor, locutores, reporteros y técnico radial e invitados del programa.
- El invitado del programa puede ser uno de los participantes el cual será entrevistado y servirá como profesional en alguna esfera de la sociedad. Puede ser más de uno.

4. Se distribuirá el rol de los participantes en la emisora.

5. El grupo se reunirá para desarrollar el libreto de su programa, los temas, noticias y entrevista al especialista invitado.

6. Tendrán algunos ensayos de prueba de la programación.

7. Una vez tengan parte de la programación lista, podrán comenzar la grabación.

8. Por último, deberán editarlo y agregar la música y efectos pertinentes para terminar el programa.

Materiales:
- Computadora con micrófono y programa para grabar voz, música y editar audio.
- Libreta y lápiz para desarrollar el libreto de la programación.

IV. Noticiero de Televisión

Edades: 4-7 años trabajan juntos y seleccionan 1-2 actividades dentro de las altrenativas que se ofrecen; De 8-14 años se mezclan las edades y cada participante escoge la actividad de su preferencia.

Instrucciones previas al proyecto:

Es necesario preparar un «estudio de telenoticias», decorado antes de que los participantes inicien su proyecto. Para esto se deberá crear una pequeña escenografía con un escritorio, dos sillas y un micrófono para el área donde se realizarán las tomas de grabación del programa de noticias.

Instrucciones del proyecto:

1. Este grupo deberá producir un noticiero de televisión el cual podrán grabar y editar.

2. El grupo debe estar integrado por participantes que ocupen los puestos de: productor, editor, presentadores, reporteros, camarógrafo, maquillista y utilería. Se deberá asignar la función de cada participante de forma voluntaria tomando en cuenta sus dones y talentos. Todos deben participar para crear el nombre del programa de noticias.

3. El equipo de reporteros junto al editor y productor, deberán desarrollar el libreto del programa y para esto:

- Crearán la apertura para el programa de noticias.
- Escogerán los temas que se discutirán durante la programación y producirán las noticias en base a lo aprendido en clase sobre las esferas de la sociedad. Pueden hacer noticias sobre familia, gobierno, educación, ciencia, entre otros. Pueden producir capsulas cortas sobre noticias del tiempo. Permita que ellos sean creativos.
- Prepararán entrevistas que podrán realizar a invitados especiales del programa (pueden ser los mismos participantes). Las preguntas pueden ser relacionadas a alguna esfera.
- Crearán la clausura del programa de noticias.

4. Mientras se trabaja en el libreto del noticiero:

- El camarógrafo aprenderá a manejar la cámara y se le orientará sobre las distintas tomas que podrá realizar.
- La maquillista trabajará en el arreglo visual de los reporteros anclas del noticiero.

5. A medida que los reporteros, el editor y el productor terminan las distintas secciones del noticiero, la información se les pasa rápidamente a lo presentadores para comenzar la grabación. (Ej. tan pronto se termina la redacción de la apertura del programa, la deben comenzar a grabar mientras el equipo del libreto continúa redactando las otras secciones).

6. De ser posible, podrán bajar la grabación a una computadora, editarlo y agregar la música y efectos necesarios para terminar su programa de noticias, listo para ser publicado.

Materiales:

- Biblia, carpeta, y lápiz de cada participante.
- Computadora y programa para editar audio-visuales.
- Cámara de video.
- Micrófono.
- 1 mesa y dos sillas.
- Papeles traza.
- Pintura para crear algún logo para el escenario de telenoticias.
- Tijeras.
- Cinta adhesiva.

V. Tablón de edictos escolares *Edades:* 4-7 años trabajan juntos y seleccionan 1-2 actividades dentro de las altrenativas que se ofrecen;

De 8-14 años se mezclan las edades y cada participante escoge la actividad de su preferencia.

Instrucciones previas al proyecto:

- Se deberá crear previamente el tablón de edictos sobre el cual los participantes publicarán sus artículos, noticias informativas u otros anuncios.

Instrucciones del proyecto:

1. Este grupo tendrá la encomienda de crear un tablón de edictos donde podrán publicar reportajes y anuncios de cada una de las esferas de la sociedad que han estudiado hasta este día. Puede realizar sus noticias en base a las actividades de clase y proyectos en las que han participado.

- Permita que de forma voluntaria seleccionen sus diferentes funciones entre: productor, editores, fotógrafo o artista gráfico y reporteros.
- Asegúrese de que por cada noticia y para el diseño del tablón de edictos, haya grupos de dos participantes o más.

2. Una vez divididos en grupos pequeños, se les anunciará que tendrán 1 hora aproximadamente para realizar la primera fase del proyecto donde tendrán que:

- Escoger el titular de su artículo.
- Comenzar con el desarrollo de los artículos noticia de acuerdo a lo aprendido en clase.
- Diseñar el arte gráfico.
- Los reporteros podrán salir a entrevistar al personal u otros participantes involucrados en las noticias.

3. Podrán escoger varias formas en las que pueden elaborar el artículo, como por ejemplo: tríptico u opúsculo, recuadros o cualquier otra forma geométrica, en formato tridimensional, entre otros.

4. Al terminar el primer borrador del artículo, deberán pasarlo en limpio sobre el formato seleccionado. Para esto se debe editar el contenido, corregir la ortografía y terminar el arte gráfico.

5. Por último, deberán montar el artículo y las ilustraciones en su sección del tablón de edictos.

Materiales:

- 1 panel en madera fino o cartón grueso para crear el tablón de edictos.
- *Opción #1*: Realizar los artículos en computadora.
  - ► Biblia, carpeta y lápiz para tomar notas.
  - ► Computadora e impresora.
  - ► Papel.
  - ► Cámara fotográfica.
  - ► Revistas con imágenes relacionadas a las distintas esferas.
  - ► Grapadora y grapas.
- *Opción #2*: Tablón de edictos hecho a mano.
  - ► Biblia, carpeta y lápiz para tomar notas.
  - ► Bolígrafos negro, azul y rojo.
  - ► Papeles traza.
  - ► Hojas de papel en blanco y en colores.

- ► Lápices de colores o marcadores.
- ► Tijeras.
- ► Pegante.
- ► Revistas con imágenes relacionadas a las distintas esferas de la sociedad.
- ► Grapadora y grapas.

VI. Anuncios publicitarios

Edades: 4-7 años trabajan juntos y seleccionan 1-2 actividades dentro de las altrenativas que se ofrecen; De 8-14 años se mezclan las edades y cada participante escoge la actividad de su preferencia.

Instrucciones previas al proyecto:

El equipo de anuncios publicitarios trabajará en la creación de anuncios que promuevan un mensaje de transformación en las diferentes esferas de la sociedad utilizando los siguientes medios de publicidad: pancartas, promociones en hoja tamaño carta, anuncios para televisión o comerciales, entre otros. Para esto:

1. Se deberá dividir el equipo de anuncios publicitarios en grupos pequeños con un aproximado de 5 a 8 participantes.

2. Se asignará a cada grupo el medio en el que elaborarán su proyecto publicitario.

3. Se deben preparar las estaciones de trabajo para cada grupo pequeño con sus respectivos materiales y hoja de instrucciones.

VII. Pancartas

Edades: 4-7 años trabajan juntos y seleccionan 1-2 actividades dentro de las altrenativas que se ofrecen; De 8-14 años se mezclan las edades y cada participante escoge la actividad de su preferencia.

Instrucciones del proyecto:

1. Escoger el tema que promoverán, de acuerdo a lo aprendido en clase sobre las esferas de la sociedad.

2. Redactar el borrador del texto de la publicidad.

3. Crear un diseño en base al tema de la publicidad y plasmarlo en el papel que usarán para la pancarta.

4. Escribir el texto de la publicidad en la pancarta.

5. Todos deben saber explicar: ¿qué estoy promoviendo y por qué lo estoy promoviendo?

Materiales:

- • Papeles traza.
- • Papel de colores y hojas blancas.
- • Colores y crayolas.
- • Tijeras.
- • Pegante.
- • Revistas con imágenes relacionadas a las esferas de la sociedad.

VIII. Publicidad en hoja tamaño carta

Edades: 4-7 años trabajan juntos y seleccionan 1-2 actividades dentro de las altrenativas que se ofrecen;
De 8-14 años se mezclan las edades y cada participante escoge la actividad de su preferencia.

Instrucciones del proyecto:

1. Escoger el tema que promoverán, de acuerdo a lo aprendido en clase sobre las esferas de la sociedad.

2. Redactar el borrador del texto de la publicidad.

3. Crear un diseño en base al tema de la publicidad.

4. Escribir el texto de la publicidad en la hoja de la publicidad.

5. Al terminar con la primera hoja, podrán repetir este proceso hasta crear el número mayor de anuncios posibles, de acuerdo al tiempo que dispongan.

6. Todos deben saber explicar: ¿qué estoy promoviendo y por qué lo estoy promoviendo?

Materiales:

- Hojas blancas.
- Papel de colores.
- Colores y crayolas.
- Tijeras.
- Pegante.
- Revistas con imágenes relacionadas a las esferas de la sociedad.

IX. Anuncios comerciales

Edades: 4-7 años trabajan juntos y seleccionan 1-2 actividades dentro de las altrenativas que se ofrecen;
De 8-14 años se mezclan las edades y cada participante escoge la actividad de su preferencia.

Instrucciones del proyecto:

1. Escoger el tema que promoverán de acuerdo a lo aprendido en clase sobre las esferas de la sociedad.

2. Redactar el libreto del comercial tomando en cuenta la cantidad de integrantes del grupo.

3. Crear diseño gráfico o visuales de ser necesarios para el comercial.

4. Distribuir el libreto entre los distintos integrantes del grupo pequeño.

5. Tomar un tiempo para que cada participante memorice su parte del libreto.

6. Deberán hacer varios ensayos en grupo hasta lograr realizar el anuncio televisivo, sin pausas de principio a fin.

7. Todos deben saber explicar: ¿qué estoy promoviendo y por qué lo estoy promoviendo?

Nota: De contar con la facilidad de una filmadora, una computadora y un programa para editar audiovisuales, podrán grabar el comercial y editarlo para así poder presentarlo en cualquier otro medio audiovisual.

Materiales:

- Papeles traza.
- Papel de colores y hojas blancas.

- Colores y crayolas.
- Tijeras.
- Pegante.
- Revistas con imágenes relacionadas a las esferas de la sociedad.

LAS COMUNICACIONES

Puntos importantes de los medios de comunicación:

1. Aportan conocimiento científico.

2. Generan soluciones prácticas a los problemas sociales.

3. Sirven de vehículo de información a la ciudadanía.

4. Son agentes de cambio.

5. Son una válvula de escape para las tensiones cotidianas.

6. Desinterés extremo por cubrir eventos sangrientos, violentos, controversiales y negativos en general.

7. Interés extremo por cubrir eventos comunitarios.

8. Precisión a la hora de reportar.

9. Profundización en las noticias.

10. No se enfocan en entretener o satisfacer el morbo y la curiosidad.

11. Proveen herramientas de información y educación para la formación de un buen juicio.

12. Vende noticias veraces al público y no sólo espacios a personas que desean llevar un mensaje al público consumidor. Dedican más de un 60% a la información y menos de un 40% a la publicidad.

13. No utilizan titulares ambiguos, sensacionalistas o engañosos.

14. Se enfocan en personas con información valiosa sobre temas que no se tocan y no se conocen.

15. No enfatizan sólo en lo negativo y en reflejar las irregularidades en la gestión pública.

16. Informan al pueblo de lo que se ha hecho bien y de las gestiones que los gobiernos llevan a cabo en su beneficio.

Esfera # 7: Economía

TÍTULO: Producción, distribución y consumo.

TIEMPO: 2 horas.

EDADES: se mezclan las edades y los líderes seleccionan la actividad que entienden más apropiada para el participante.

PRINCIPIO PARA REFORZAR: La economía revela la bondad de Dios, cuando los recursos, ideas y energía que han sido dadas por Él, son utilizadas para satisfacer las necesidades humanas.

ESCRITURA: Deuteronomio 15:4; Mateo 6:24-34.

OBJETIVOS:
▶ Que el participante pueda ver de forma práctica que Dios es fiel al proveerle al hombre todo lo necesario, para satisfacer sus necesidades y traer gloria a Él.
▶ Que el participante pueda experimentar que Dios es la fuente de provisión del hombre para poder producir, distribuir y consumir.
▶ Que el participante experimente que el ser humano fue creado para trabajar y ser co-creador con su creador.

OBSERVACIONES GENERALES:

Es importante entender el propósito de esta actividad. Poder enseñar a todos los participantes la importancia de ser buenos mayordomos con los recursos que Dios nos ha dado. Fomentar la creatividad, para que surjan nuevas ideas entre los participantes. Fomentar el amor por el trabajo, usando su energía para producir al máximo. Que puedan apreciar de forma práctica, las diferencias individuales, cómo unos participantes serán más arriesgados que otros y cómo multiplicar lo que Dios les confía, (como la parábola de los talentos). Fomentar la inversión desde temprana edad. Observamos que este concepto de inversión no se enseña desde pequeños en nuestros países latinos, por lo tanto, cuando se llega a adulto, una población minoritaria es la que se siente cómodo para invertir. Necesitamos entender el valor de la empresa privada, para no ser dependientes del Gobierno e invertir en nuestros propios negocios para progresar. Dios quiere que prosperemos, con el propósito de poder ayudar a otros, y no buscando hacernos «más ricos». Mientras más tenemos, más podemos dar. Y, por último, entender que la pobreza está en la mente.

DESCRIPCIÓN DEL PROYECTO:

El proyecto consiste enmostrar la «economía» de forma que los participantes puedan entender cómo funciona el sistema de producción, distribución, comercio y consumo de bienes y servicios de una sociedad o de un país.

Mostrar en forma sencilla la ciencia que estudia los recursos, la creación de riqueza y la producción, distribución y consumo de bienes y servicios, para satisfacer las necesidadeshumanas.

El proyecto/actividad consiste en el desarrollo de fábricas y negocios de ventas al consumidor. Para lograr esto, los inversionistas (sugerimos que se escoja varias personas del personal) venderán materia prima a la comunidad.

Algunos grupos pequeños se unirán y formarán las fábricas con sistemas estructurados. Algunos participantes serán los gerentes y otros los empleados que laboran en las mismas.

Por otra parte, otros grupos pequeños serán los negociantes, quienes comprarán en las fábricas los productos que venderán a toda la comunidad.

Sugerimos se recree una pequeña «plaza de mercado».

Durante el desarrollo de la actividad deben ocurrir los siguientes procesos:

a. Venta, realizada por los inversionistas, de los recursos naturales y las herramientas que se requieran para la producción.

b. El desarrollo de la empresa y sus productos.

c. La construcción de los negocios como centro de venta para el consumo.

d. La distribución entre las fábricas y los comercios.

e. La venta al consumidor.

De esta forma se cumplirá con todo el proceso para que la comunidad pueda satisfacer sus necesidades humanas y a su vez, traer prosperidad a la comunidad.

Durante todo el proceso de la actividad, los inversionistas estarán disponibles para cualquier otra necesidad que se le presente a los productores.

Nota: La cantidad de fábricas puede cambiar de acuerdo a la cantidad de participantes; también se pueden desarrollar con menor producción, teniendo en cuenta el tiempo con que se cuenta para la actividad.

Instrucciones previas al proyecto:

1. Hacer las divisiones de los grupos pequeños de acuerdo al trabajo que les corresponda durante todo el proyecto. Ejemplo: constituir los grupos con las diferentes edades, incluyendo los más pequeños de 4-7 años.

2. Identificar y capacitar facilitadores para cada fábrica, antes de la actividad.

Nota: La cantidad de facilitadores aumentará de acuerdo a la cantidad total de participantes por grupo.

3. Preparar los lugares de acuerdo, a la actividad (ver lista de materiales):

- Lugar para inversionistas.

- Lugar para las fábricas.
- Lugar para los negociantes.

4. Dividir la cantidad de dinero que se les dará a cada fábrica y negocio. Se debe tener presente proveerles suficiente dinero para la inversión y los salarios justos para cada empleado.

5. Preparar los materiales para cada área de trabajo:

(A) Inversionistas:

- (1) Mesa por cada inversionista.
- Colocar toda la materia prima necesaria y herramientas para cada fábrica. (Ver lista de materiales de cada fábrica). Las cantidades serán de acuerdo a lo grande que pueda ser la fábrica. Esto va directamente relacionado al tamaño del grupo total de participantes.
- Colocar toda la materia prima y herramientas para cada negocio. Las cantidades serán de acuerdo al número de negocios que se establezcan.
- Letreros de identificación de acuerdo al número de inversionistas. Ejemplo: Inversionistas de vitamina A.

(B) Negociantes:

- Panel de cartón por negocio.
- Mesa por negocio.
- (1) paquete de papel construcción.
- Papeles traza.
- Tijeras.
- Rollo de cinta adhesiva.
- Crayolas y lápices de colores.

Instrucciones para los participantes:

1. Se explicará a los participantes que ha llegado el momento de poder establecer la economía en la comunidad.

2. Se les dirá que para poder lograrlo serán divididos, algunos como fabricantes y otros como negociantes. Ambos grupos estaránconformados por equipos pequeños.

3. Se anunciará la división de las 5 fábricas, los 5 negocios y los grupos pequeños que los componen. Además, se especificará el nombre del facilitador a cargo de cada fábrica y negocio.

4. Se les dirá que a cada fábrica y negocio se le asignará un dinero que representará el capital para poder invertir. El dinero que se le asignará va a depender de los costos de los materiales. Unos materiales son más económicos que otros. Tomar esto en consideración.

5. Se les hará saber el tiempo que tendrán para completar su actividad.

Nota: Cada facilitador guiará a su grupo al lugar de trabajo previamente establecido y les orientará durante todo el proceso.

1. 10 minutos aproximadamente: Se debe elegir al gerente de cada fábrica y dos distribuidores que esta-

rán en contacto con los negociantes para promocionar el producto que les corresponda realizar. Además, el grupo deberá conocer las tareas de su empresa y dividir entre los participantes cada una de las responsabilidades necesarias. En esta etapa, es muy importante que los líderes de grupo ayuden a ubicar a los niños intencionalmente en las posiciones, tomando en cuenta su edad y la responsabilidad a realizar. (Se sugiere que se mezcle por edades a los participantes).

2. 10 minutos aproximadamente: Compra a los inversionistas: El gerente irá con los distribuidores a comprar todo lo que necesiten para el desarrollo de la fábrica.

3. 10 minutos aproximadamente: Instalación: Una vez comprados todos los productos y la maquinaria necesaria para que la fábrica pueda funcionar, con ayuda del facilitador, se organizará el personal de trabajo y el material, para poder iniciar el proceso de producción.

4. 30 minutos aproximadamente: Producción: En este proceso los niños ya se encuentran divididos en su única función durante toda la producción para lograr lo más rápido posible un producto final en excelentes condiciones.

5. 10 minutos aproximadamente: Venta al negociante: A través de los distribuidores de cada fábrica, los negociantes comprarán el producto y lo organizarán en el negocio que ha sido preparado.

6. 20 minutos aproximadamente: Ventas al consumidor: Los negocios se abrirán al público en general y se dará la compra-venta, esperando el desarrollo económico de la nación.

7. Dependiendo de la capacidad de producción que cada fábrica haya logrado, los gerentes determinarán con ayuda del facilitador, si cierran la fábrica por «cumplimiento de horario laboral» y les pagarán a sus empleados un salario justo, o sale sólo la mitad de los empleados por «control de horas laboradas».

8. El gerente dará el pago por las horas de trabajo, y de esta forma, algunos o todos los que trabajaron, podrán salir para proveer el alimento o aquello que su familia necesite en los negocios creados.

Descripción del desarrollo de cada negocio:

1. Primero, deberán acordar y dividirse todas las responsabilidades que conlleva ser accionista de un negocio que inicia.

2. Algunos deberán invertir en la construcción de su negocio. Estos niños tienen que buscar, comprar la materia prima y las herramientas para poder edificarlo.

3. Otros deberán encargarse de buscar a los distribuidores de las fábricas y estudiar qué productos les ofrecen para poder vender en su establecimiento.

4. Tomarán la decisión en cuanto al nombre y enfoque que tendrá el negocio y de allí crearán la publicidad. Como parte de la publicidad se tiene presente el letrero para la entrada del negocio, volantes que promocionen el lugar, una canción promocional, entre otras ideas. Luego podrán comprar los productos y llevarlos a su negocio para iniciar las ventas al consumidor.

Proceso de planificación del negocio:

Instrucciones para el personal.

Tiempo para planificar: 20 min.

1. Entender con claridad el recurso natural o material que necesito y las herramientas para lograr la meta propuesta.

    i. No comienzo en cero. Dios nos da los recursos para nosotros poder producir.

    ii. Una de las cosas con las que contamos es la mente que produce ideas.

    iii. Debo crear o adquirir las herramientas necesarias para lograr producir lo que necesito.

    iv. Llevar a los niños a pensar en qué necesita para su negocio.

2. Hay una cantidad fija para invertir. Pero si no cuento con dinero ahorrado para invertir podré solicitar un préstamo como medio de inversión para poder comenzar mi negocio. Los niños pondrán en la lista el costo de la inversión y el valor del préstamo.

3. Los niños deberán continuar planificando el negocio.

    i. Determinar cuánto le van a pagar a cada uno de los empleados.

    ii. ¿Qué dinero se va a separar para el diezmo y el ahorro?

    iii. ¿Cómo y cuándo se va a pagar el préstamo tomado?

4. Terminando el proceso de planificación el grupo va a los inversionistas para adquirir lo que necesita.

5. Ya finalizado el tiempo de venta, se tomará un tiempo para evaluar.

    i. Se observará el dinero obtenido de las ventas.

    ii. Se calculará en la lista el pago de todos los deberes, incluyendo el pago a los empleados.

    iii. Se calculará la ganancia

Planificación de presupuesto

	Cantidad de dinero	Resultado
Inversión		
Préstamo		
Ganancia de ventas		
-Nómina		
-Préstamo		
-Diezmo	-%	
-Ahorro	-%	
=Ganancia final		

Como familia deberán escoger una persona encargada del negocio quien tomará las decisiones finales del mismo.

Todos juntos deberán discutir la planificación de cómo se llevará a cabo el negocio y redactar por escrito las proyecciones, junto con la inversión y el préstamo que están asumiendo.

INSTRUCCIONES DE LA TABLA DE PLANIFICACIÓN DE PRESUPUESTO

Instrucciones del uso de la tabla para cada grupo de familia en su negocio:

1. La cantidad de dinero a invertir, se determina en base al costo de todo lo que se necesita para poder lanzar el producto.

2. El participante hace un préstamo para invertir en un negocio propio.

3. Durante el tiempo de evaluación, se determina la ganancia en ventas. Esta será la totalidad de todas las ventas realizadas, o sea, la ganancia bruta. Queremos que sea una ganancia justa. Es importante que imperen los principios bíblicos.

4. La nómina es el pago a los empleados. Se les deberá pagar justamente a cada uno de los miembros de la familia que trabaja. Colocará lo que se le paga a cada uno en la tabla.

5. Préstamo. Se colocará la cantidad del pagaré por el préstamo.

6. El diezmo, constituye un mínimo del 10% de todas las entradas. Es un mandato del Señor. (Malaquías 3:10).

7. El ahorro. Una vez haber apartado el diezmo, deberán determinar cuánto van a ahorrar y colocarán esa cifra en la tabla.

8. La ganancia final, es realmente la ganancia neta, después de haber restado lo que invirtió para producir lo que vendió. De esa ganancia, determina el diezmo. Y con esa ganancia, deberá apartar la cantidad determinada que se propone ahorrar, pagar el préstamo, los salarios a los empleados, etc.

Posibles productos para elaborar, y posiciones que se deben tomar en cuenta durante el proceso de producción: (Las posiciones cambian de acuerdo a la cantidad de participantes)

Fábrica # 1: 20 participantes.

Vitamina C líquida: Jugo de Naranja

Con ayuda del facilitador, quien leerá las siguientes responsabilidades, se organizará el funcionamiento y las responsabilidades de la fábrica:

1. **Gerente:** Supervisa que todo el proceso se lleve a cabo de la forma más eficiente posible.

2. **Distribuidores:** Personas que se comunican con los negociantes, para poder vender el producto de su fábrica. Deberán crear un emblema que represente la fábrica de vitamina C.

3. **Empleados** (con guantes):

    a. (2) toman las naranjas del envase ya lavadas y las parten por la mitad.

    b. (8) reciben los pedazos de naranjas cortadas y exprimen la naranja en sus respectivos envases. Estos participantes estarán ubicados, cuatro en un lado de la mesa y cuatro en el otro lado. Se recomienda que sean los más grandes de los niños, para poder hacer el proceso más rápido.

    c. (1) será el empleado en movimiento que tomará naranjas picadas del primer envase, y las colcará en el envase que se encuentra en medio de los últimos cuatro que exprimen. (Ver gráfica en la siguiente página). Esto se hace para evitar que el proceso colapse por causa de los últimos cuatro exprimidores, cuando quieran buscar más naranjas picadas.

    d. (2) toman el jugo exprimido y con el embudo llenan la mitad de los envases de ½ galón.

    e. (2) con el embudo terminan de llenar los galones con agua potable.

f. (1) con el embudo agrega azúcar morena (opcional) lo prueba con un vaso de plástico pequeño, lo sella y lo coloca en la última parte de la mesa (la cantidad de azúcar depende del estado de las naranjas).

g. Los distribuidores ya han realizado los emblemas, los pegarán y la vitamina estará lista para la venta.

Fábrica # 1: Vitamina C

(1) mesa por cada 6 empleados.

Sacos de naranjas. Calculando una naranja por persona.

(1) Envase grande (podría ser de plástico para colocar naranjas lavadas).

(1) Par de guantes por empleado.

(2) Vasos plásticos pequeños de 7 onzas.

(2) Tablas de picar.

(2) Cuchillos para picar.

(8) Exprimidores de naranjas.

(8) Envases para colocar el zumo exprimido.

(2) Envases medianos para colocar naranjas picadas.

(4) Embudos.

Agua potable.

(1) bolsa de azúcar morena.

(2) cucharas.

(15) medio (½) galones vacíos para llenar con jugo.

Papel construcción de diferentes colores para hacer los emblemas.

Tijeras.

Crayolas y/o colores.

Basurero.

Letrero: FÁBRICA DE VITAMINA C.

Gráfica #1: Producción de Vitamina C líquida

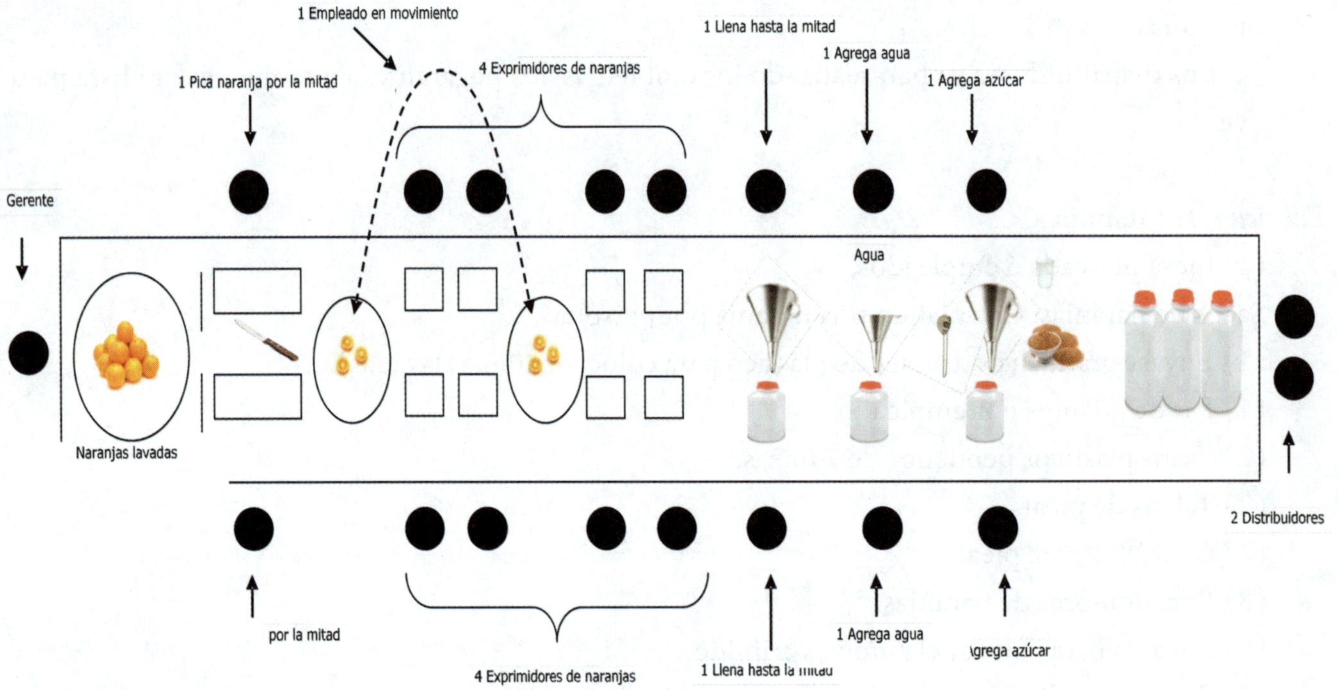

1 Empleado en movimiento

1 Pica naranja por la mitad

4 Exprimidores de naranjas

1 Llena hasta la mitad

1 Agrega agua

1 Agrega azúcar

Gerente

Agua

Naranjas lavadas

2 Distribuidores

por la mitad

4 Exprimidores de naranjas

1 Llena hasta la mitad

1 Agrega agua

Agrega azúcar

Fábrica # 2: 20 participantes.

Vitamina A líquida: Jugo de mango.

Con ayuda del facilitador, quien leerá las siguientes responsabilidades, se organizará el funcionamiento y las responsabilidades de la fábrica:

1. **Gerente:** Supervisa que todo el proceso se lleve a cabo de la forma más eficiente posible.

2. **Distribuidores:** Personas que se comunican con los negociantes para poder vender el producto de su fábrica. Deberán crear un emblema que represente la fábrica de vitamina A.

3. **Empleados** (todos con guantes):

a. (6) toman del envase los mangos ya lavados, les quitan toda la piel y los colocan en dos recipientes que estarán ubicados así: uno en medio de ellos y el otro junto a los participantes del siguiente paso.

b. (1) será el empleado en movimiento quien tomará el primer recipiente con mangos sin piel y lo vaciará en el siguiente para evitar que el proceso colapse cuando se llene el envase. (Ver gráfica en la próxima página).

c. (4) toman los mangos sin piel, cortan la pulpa en varios pedazos y los colocan en un recipiente.

d. (4) toman la pulpa del recipiente, la licuan con un poco de agua, agregan azúcar morena al gusto y luego lo colocan en dos jarras grandes.

e. (2) toman el jugo, y con el embudo, llenan los envases de ½ galón.

f. Los distribuidores que realizaron los emblemas los pegarán y estará lista la vitamina A para la venta.

Fábrica # 2: Vitamina A líquida

(1) Mesa por cada 6 empleados.

Sacos de mango. Calculando 1 mango por persona.

(1) Par de guantes por empleado.

(6) Cuchillos o pela-papas.

(1) Recipiente hondo para colocar las cáscaras.

(4) Tablas de picar.

(4) Cuchillos.

(2) Recipientes grandes.

(4) Licuadoras.

Agua potable.

Azúcar morena.

(2) Jarras grandes.

(1) Embudo.

(20) medios (½) galones o ¼ de galones.

Papel construcción de diferentes colores.

Tijeras.

Crayolas y/o colores.

Tape transparente o cinta adhesiva.

Basurero.

Letrero: FÁBRICA DE VITAMINA A.

Gráfica #2: Producción de Vitamina A líquida

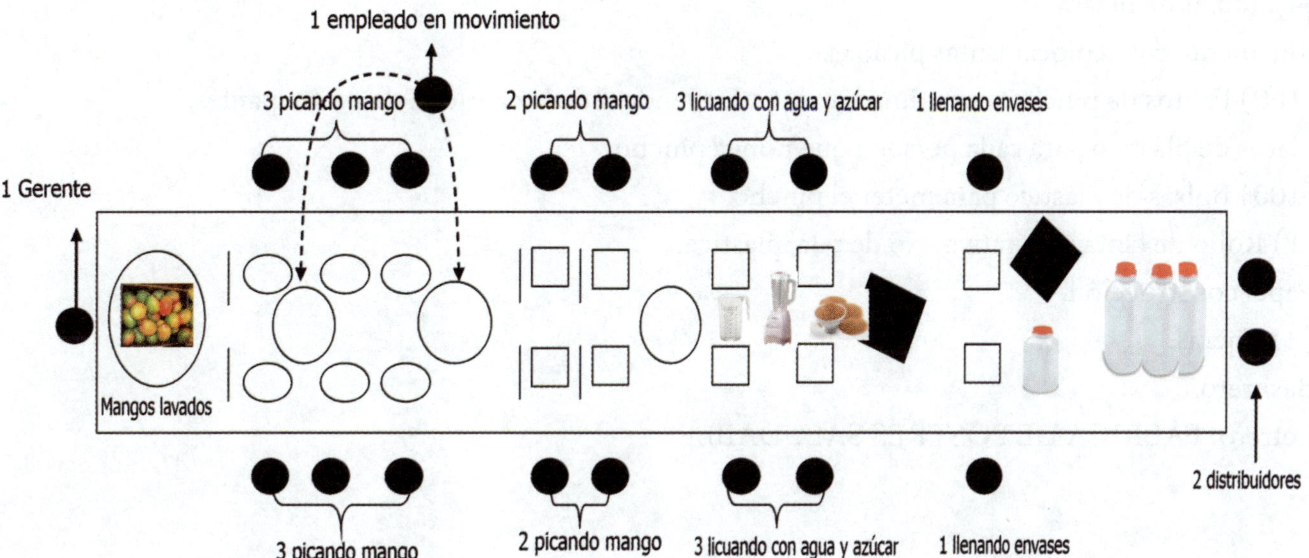

Fábrica # 3: 20 participantes.

Postre saludable: Pinchos de frutas.

Con ayuda del facilitador, quien leerá las siguientes responsabilidades, se organizará el funcionamiento de la fábrica:

1. **Gerente:** Supervisa que todo el proceso se lleve a cabo de la forma más eficiente posible.

2. **Distribuidores:** Personas que se comunican con los negociantes para poder vender el producto de su fábrica. Deberán crear un emblema que represente la fábrica de postres saludables.

3. **Empleados** (todos con guantes puestos):

    a. (4) Deben pelar las frutas y colocarlas en un recipiente hondo.

    b. (4) Pican las frutas en pedazos medianos y los colocarán en un recipiente.

    c. (2) Colocan los primeros 3 pedazos de frutas al pincho.

    d. (2) Reciben los palitos de pinchos con tres pedazos de frutas y le colocan los 3 últimos.

Observación: Todos los empleados que coloquen frutas al palito, deben tener un plato plástico para colocar su pincho cuando el siguiente no esté preparado para recibirlo.

    e. (2) Colocan las bolsitas plásticas transparentes al pincho.

    f. (2) Colocan la cinta a las bolsitas plásticas para dar por terminado el producto.

    g. Los distribuidores que realizaron los emblemas, los pegarán y estarán listos los pinchos para la venta.

Fábrica # 3: Postres saludables

(1) Mesa por cada 6 empleados.

Frutas variadas. Dependiendo de la fruta en temporada y lugar donde se realice. Podría ser banano, manzana, fresa, papaya, uva.

(4) Cuchillos.

(4) Tablas de picar.

Recipiente para colocar frutas picadas.

(100) Palitos de pinchos aproximadamente. Dependerá de la cantidad de participantes.

Platos de plástico para cada persona que ponga pincho.

(100) Bolsas de plástico para meter el pincho.

(1) Rollo de cinta decorativa. No de tela, plástica.

Papel construcción.

(2) Tijeras.

Basurero.

Letrero: FÁBRICA DE POSTRES SALUDABLES.

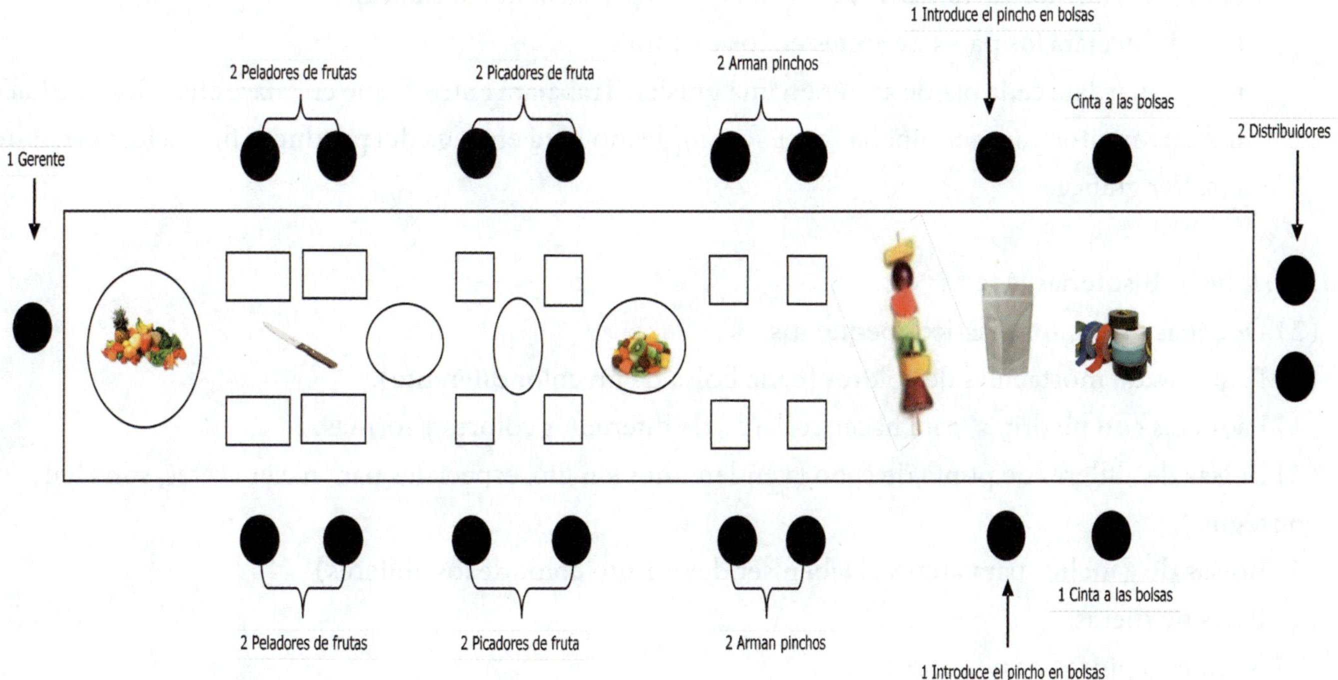

Fábrica # 4: 20 participantes.

BISUTERÍA: Aretes.

Con ayuda del facilitador, quien leerá las siguientes responsabilidades, se organizará el funcionamiento de la fábrica:

1. **Gerente:** Supervisa que todo el proceso se lleve a cabo de la forma más eficiente posible.

2. **Distribuidores:** Persona que se comunica con los negociantes para poder venderle el producto de su fábrica. Deberán crear un emblema que represente la fábrica de aretes.

3. **Empleados:**

a. (3) Se encargarán de elegir y colocar en un envase las 6 piedritas que se utilizarán para cada par de aretes. Deben ser tres unidades por arete y las elegirán de las mostacillas y piedras previamente distribuidas en vasitos y ubicadas frente a ellos. Cada envase de 6 piedritas será pasado a la siguiente estación.

b. (3) Se encargarán de poner las piedras en los alfileres que a continuación pasarán a la siguiente estación y devolverán los envases al grupo del inciso a.

c. (2) Recibirán los alfileres con las piedritas y serán los responsables de colocar los ganchos para aretes y pasarla a la siguiente estación.

d. (2) Recibirán los alfileres con los ganchos y serán los responsables de cortar con la tijera el so brante de los alfileres, dejarán alrededor de 3mm. de alambre para después cerrarlos con las pin zas, y los pasarán a la siguiente estación.

e. (2) Se encargarán de recibir los aretes y cerrarlos con ayuda de las pinzas de bisutería. (Preferible mente los mayores del grupo).

f. (1) Trazará con un lápiz y regla la cartulina; haciendo cuadritos para encajar los aretes.

g. (1) Cortará los cartoncitos ya trazados y los pasará al que los encaja.

h. (1) Encajará los pares de aretes en los cartones.

i. (1) Guardará cada par de aretes en una bolsita. Trabajará entre el que encaja aretes y los que hacen los cartoncitos para ser pinchados. Este empleado hará entrega del producto final a los distribudo res. Ver gráfica.

Fábrica # 4: Bisuterías, Aretes

(2) Docenas de vasitos plásticos pequeños.

(3) Paquetes de mostacillas de colores (cada bolsa de un color diferente).

(3) Paquetes con piedritas, para hacer collares, de diferentes colores y formas.

(3) Bolsas de alfileres de punta de cabo (venden unos sin filo, especiales para hacer aretes, son fáciles de conseguir).

(5) Bolsas de ganchos para aretes (Deben ser del mismo color de los alfileres).

(4) Pares de tijeras.

(2) Alicates o pinzas para bisutería.

(12) Octavos de cartón corrugado o cartulina.

(2) Lápices.

(1) Regla.

(100) Bolsitas pequeñas transparentes para guardar los aretes.

Letrero: FÁBRICA DE ARETES.

Nota: Estos artículos se compran en tiendas de bisuterías, joyas y costura.

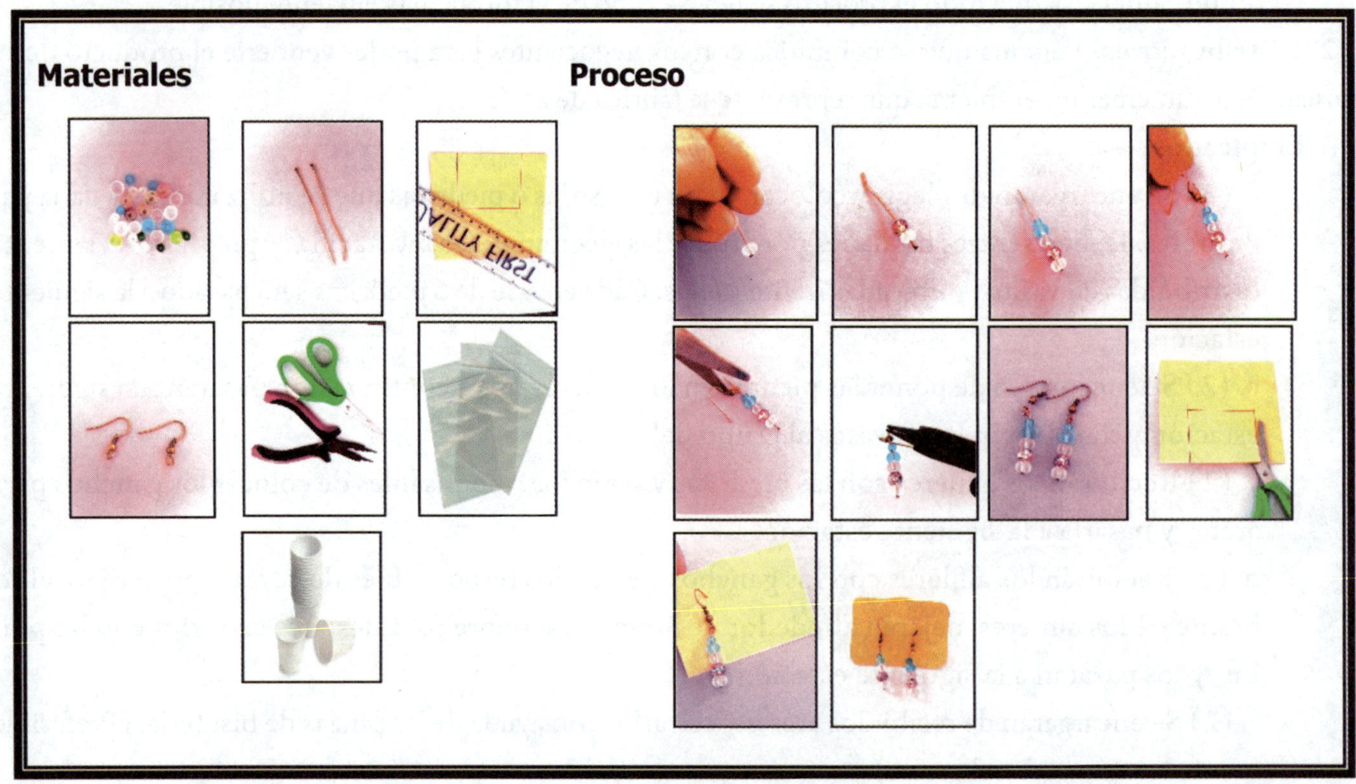

Fábrica # 5: 20 participantes.

APERITIVOS: Sandwiches de mezcla.

Con ayuda del facilitador, quien leerá las siguientes responsabilidades, se organizará el funcionamiento de la fábrica:

1. **Gerente:** Supervisa que todo el proceso se lleve a cabo de la forma más eficiente posible.

2. **Distribuidores:** Personas que se comunican con los negociantes para poder vender el producto de su fábrica. Deberán crear un emblema que represente la fábrica de sándwiches.

3. **Empleados** (con guantes):

    a. (2) Abrirán y sacarán el pan de las bolsas, para luego distribuirlo sobre el papel toalla, tajadas de dos en dos. Luego los pasarán a la siguiente estación.

    b. (4) Recibirán las tajadas de pan y se encargarán de cortar la corteza de cada tajada con un cuchillo apropiado para tales fines.

    c. (2) Esparcirán la mezcla para sándwiches sobre las tajadas de pan sin corteza.

    d. (2) Colocarán una tajada de queso en uno de los panes y cerrará los sándwiches.

    e. (2) Cortarán los sándwiches con un cuchillo, formando cuatro triángulos, y los colocarán so bre la bandeja para que los empaquen.

    f. (3) Empacarán los sándwiches (deben ir dos piezas por bolsa). Existen dos tipos de mezcla, por lo tanto, deben cerciorarse de empacar en la bolsa un sándwich de cada sabor, para que las personas puedan probar ambos.

    g. (1) Cortará las cintas para cerrar y decorar las bolsas.

    h. (2) Cerrarán las bolsas, haciéndoles un lazo con cinta de colores.

Fábrica 5 # Sándwiches

(Calculado para que 180 personas tengan una bolsita de ¼ de sándwich).

Pan en rebanadas (para 90 sándwiches).

(2) Rollos de papel toalla o dos paquetes de servilletas.

(2) Tablas de picar.

(6) Cuchillos para picar.

(90) Tajadas de queso.

(2) Bandejas grandes.

(180) Bolsas plásticas medianas para sandwiches.

(1) Rollo de cinta decorativa.

(1) Tijeras.

(1) Par de guantes por participante.

(2) Envases para colocar las mezclas.

(2) Mezclas para untar (las mezclas deberán estar preparadas antes de comenzar la actividad).

Letrero: FÁBRICA DE SANDWICHES.

Materiales para las mezclas:

- (6) Barras de queso crema (de 8 oz.).

- (1) Cucharada de perejil picado finamente.
- (20) Huevos hervidos.
- (1) Pote mediano de mayonesa.
- Sal y pimiento/pimentón rojo.
- Mezcla 1: Se mezclarán 6 barras de queso crema con una cucharada de perejil picado finamente.
- Mezcla 2: Se toman 20 huevos hervidos y se trituran para mezclarlos con mayonesa, sal y pimienta.

Gráfica #5: Producción de Sándwiches

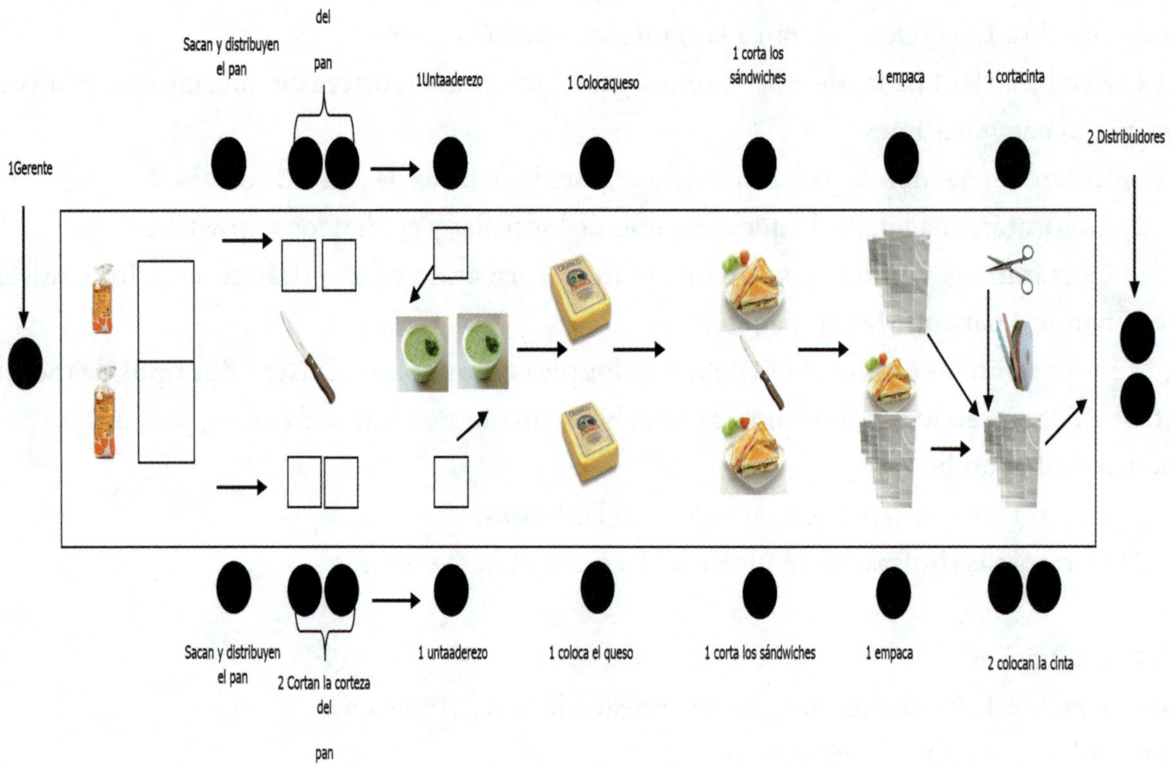

Láminas

Lámina 1.1

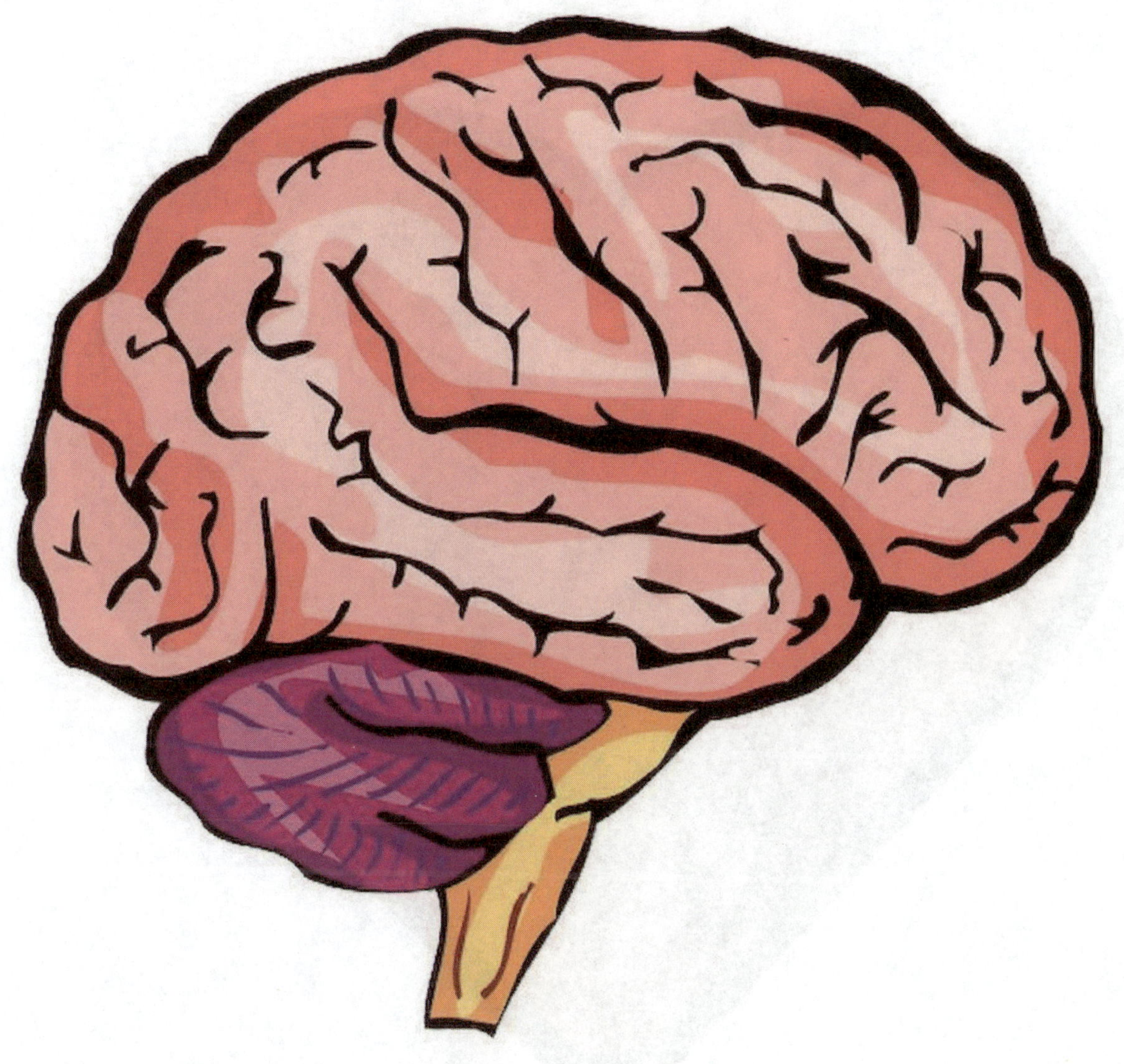

Lámina 1.2

Lámina 1.3

Lámina 1.4

Lámina 1.5

Lámina 1.6

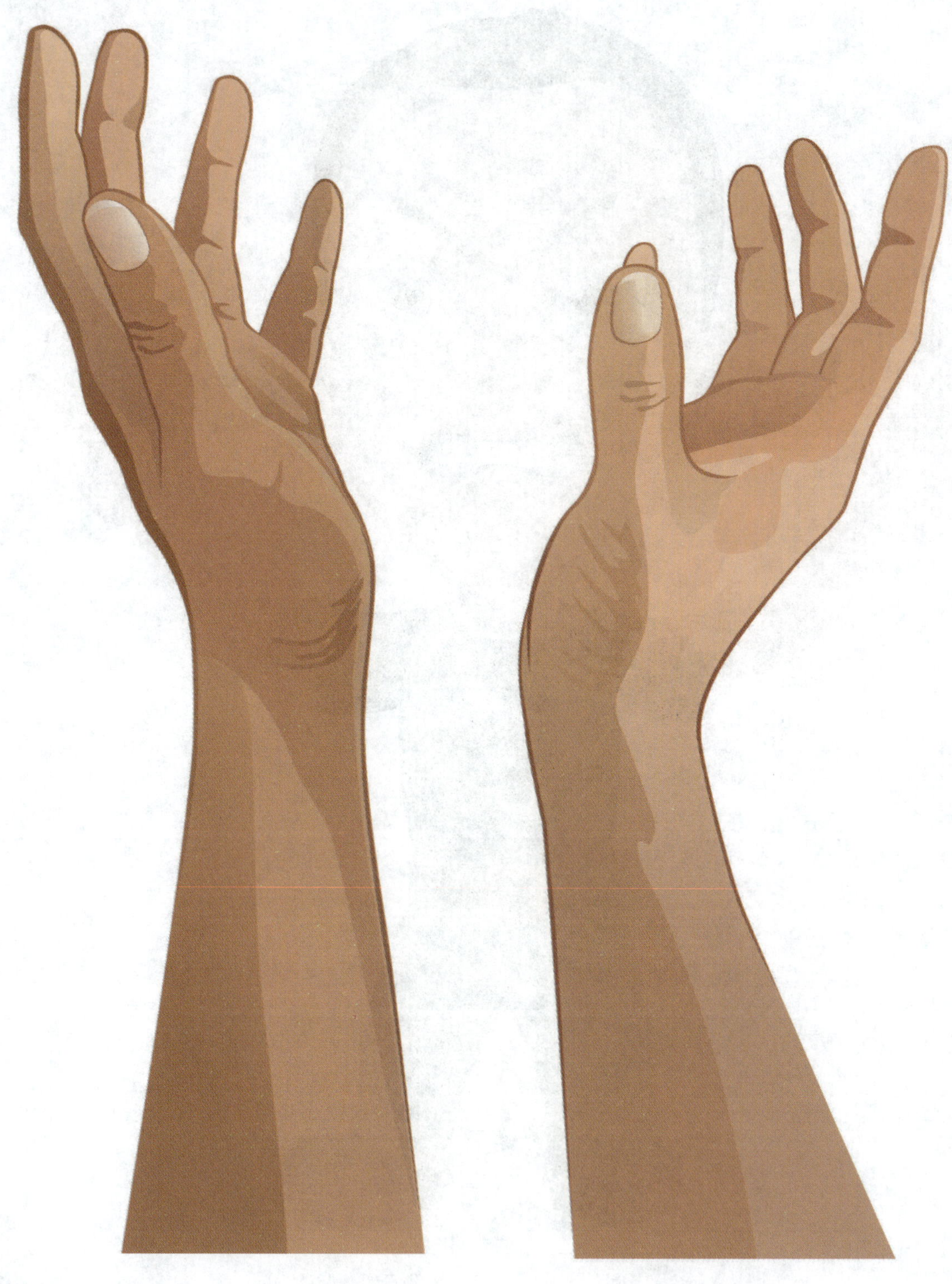

Lámina 1.7

Lámina 1.8

Lámina 1.9

Lámina 1.10

Lámina 1.11

VERDADERO

Lámina 1.12

Lámina 1.13

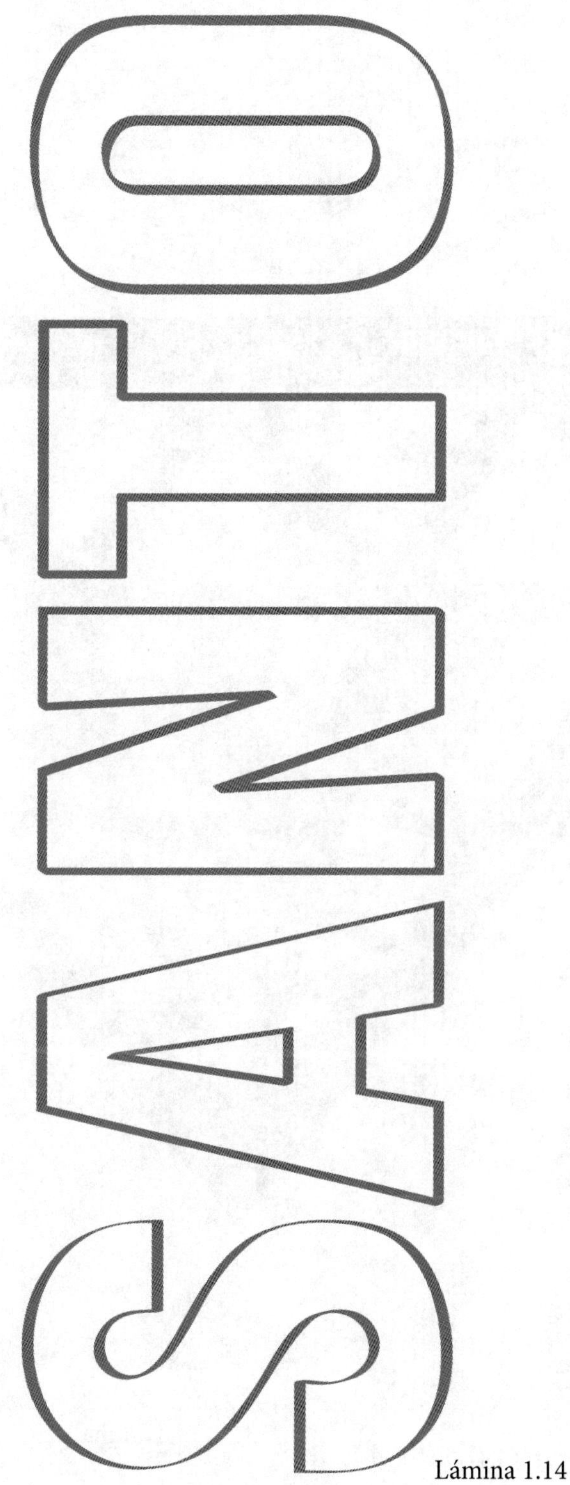

Lámina 1.14

Lámina 1.15

Lámina 1.16

Lámina 2.1

Lámina 2.2

Lámina 2.3

1. NO TENDRÁS OTRO REY APARTE DEL BUEN REY DIOS.

2. NO TE HARÁS OTROS REYES NI LOS ADORARÁS.

3. NO USES EL NOMBRE DEL BUEN REY DIOS PARA HACER CHISTES, NI DECIR MENTIRAS.

4. DESPUÉS DE TRABAJAR ARDUAMENTE, DESCANSA UN DÍA.

5. RESPETA, OBEDECE Y AMA A TUS PADRES.

6. NO MATARÁS.

7. AMARÁS Y RESPETARÁS A TU ESPOSO O ESPOSA.

8. NO TOMARÁS COSAS QUE NO TE PERTENECEN.

9. NO DIRÁS MENTIRAS.

10. NO ESTARÁS DESEANDO LAS COSAS DE TUS COMPAÑEROS.

Lámina 2.4

ENVIDIA
MUERTE
IDOLATRIA
CODICIA
ROBO
DESOBEDIENCIA
MENTIRAS
PELEAS

Lámina 2.5

Lámina 2.6

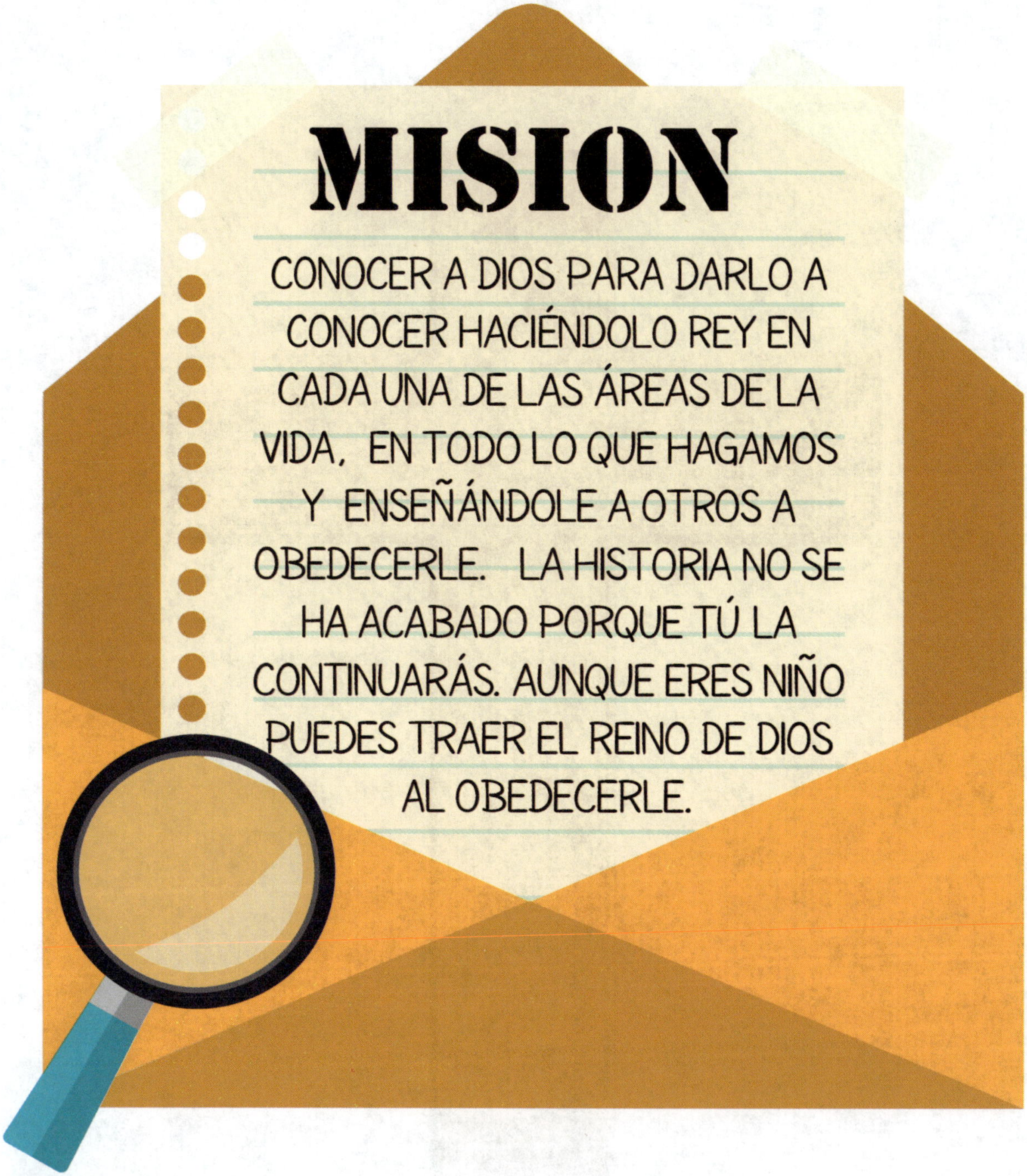

MISION

CONOCER A DIOS PARA DARLO A CONOCER HACIÉNDOLO REY EN CADA UNA DE LAS ÁREAS DE LA VIDA, EN TODO LO QUE HAGAMOS Y ENSEÑÁNDOLE A OTROS A OBEDECERLE. LA HISTORIA NO SE HA ACABADO PORQUE TÚ LA CONTINUARÁS. AUNQUE ERES NIÑO PUEDES TRAER EL REINO DE DIOS AL OBEDECERLE.

Lámina 2.7

Lámina 3.1

Lámina 3.2

Lámina 3.3

Lámina 3.4

Lámina 3.5

INTERCEDER

Lámina 3.6

Lámina 3.7

INTERCESIÓN

Lámina 4.1

Lámina 4.2

Lámina 4.3

Lámina 4.4

Lámina 4.5

Lámina 4.6

Lámina 4.7

Lámina 4.8

Lámina 4.9

MOTIVOS DEL CORAZÓN

Lámina 5.1

Lámina 5.2

Lámina 5.3

Lámina 5.4

Lámina 5.5

Lámina 5.6

Lámina CL.1

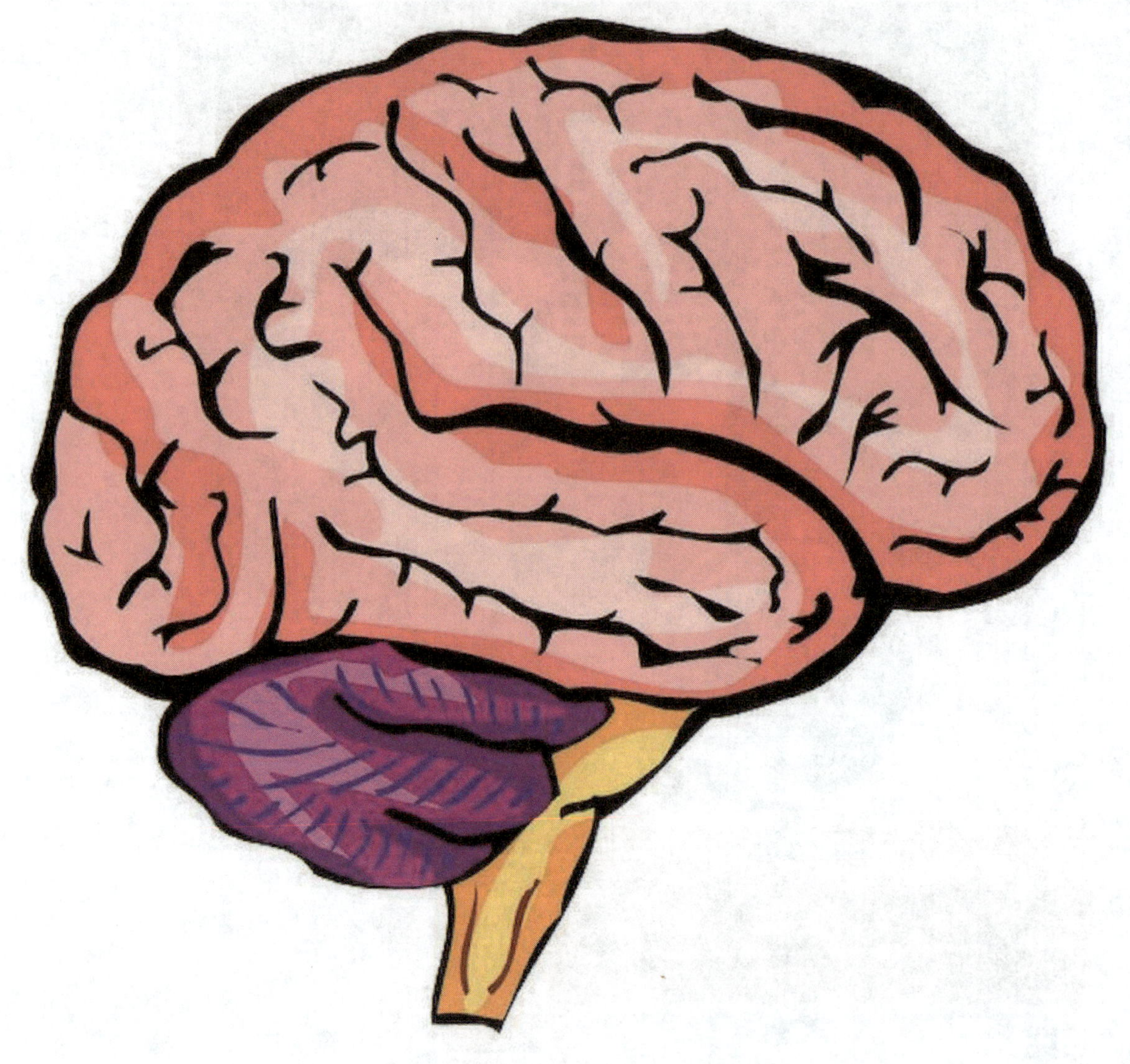

Lámina CL.2

Lámina Cl.3

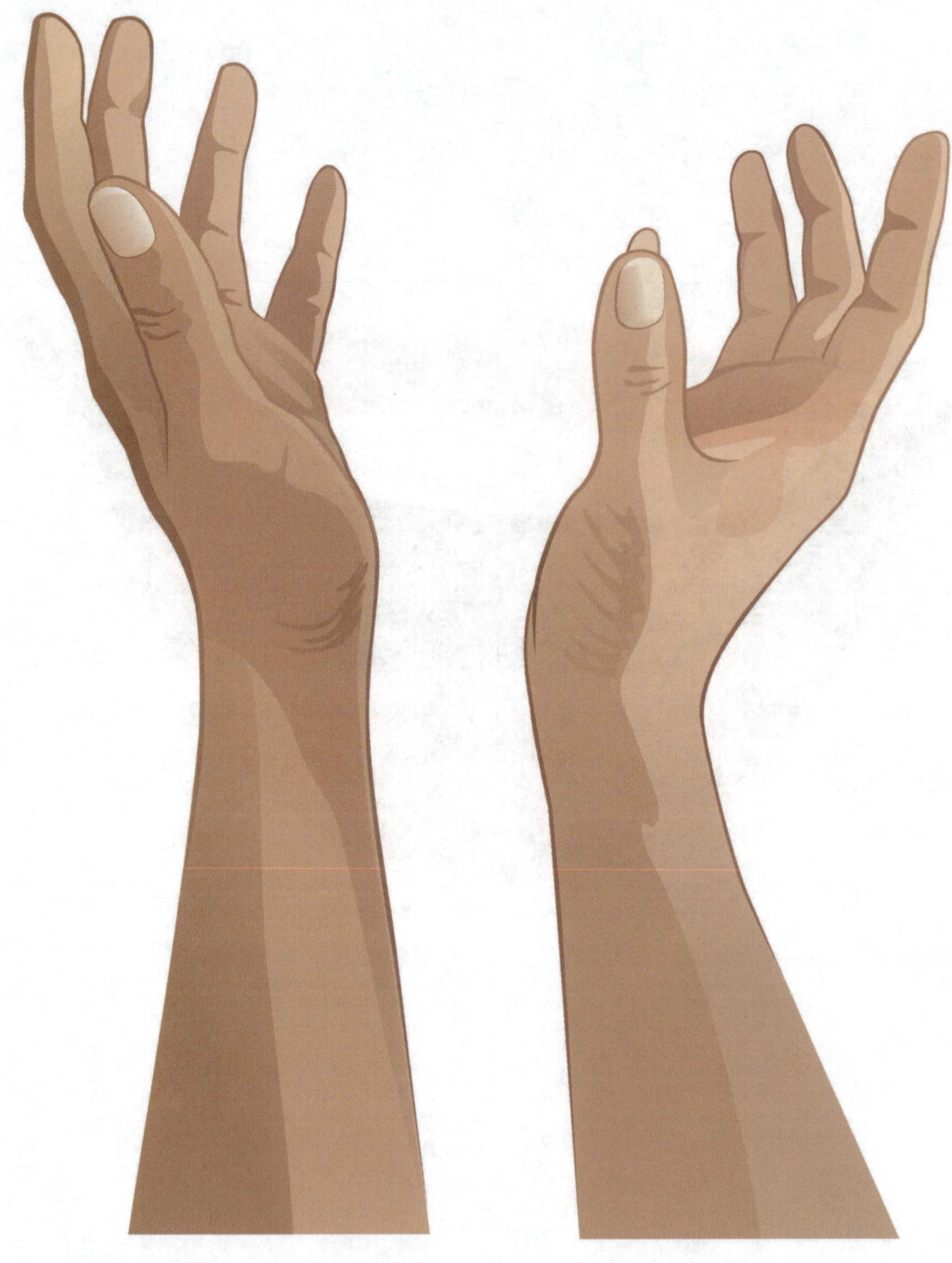

Lámina CL.4

Lámina 6.1

Lámina 6.2

Lámina 6.3

Lámina 6.4

Lámina 6.5

ALABAR

Lámina 6.6

Lámina 6.7

Lámina 6.8

Lámina 6.9

Lámina 6.10

Lámina 6.11

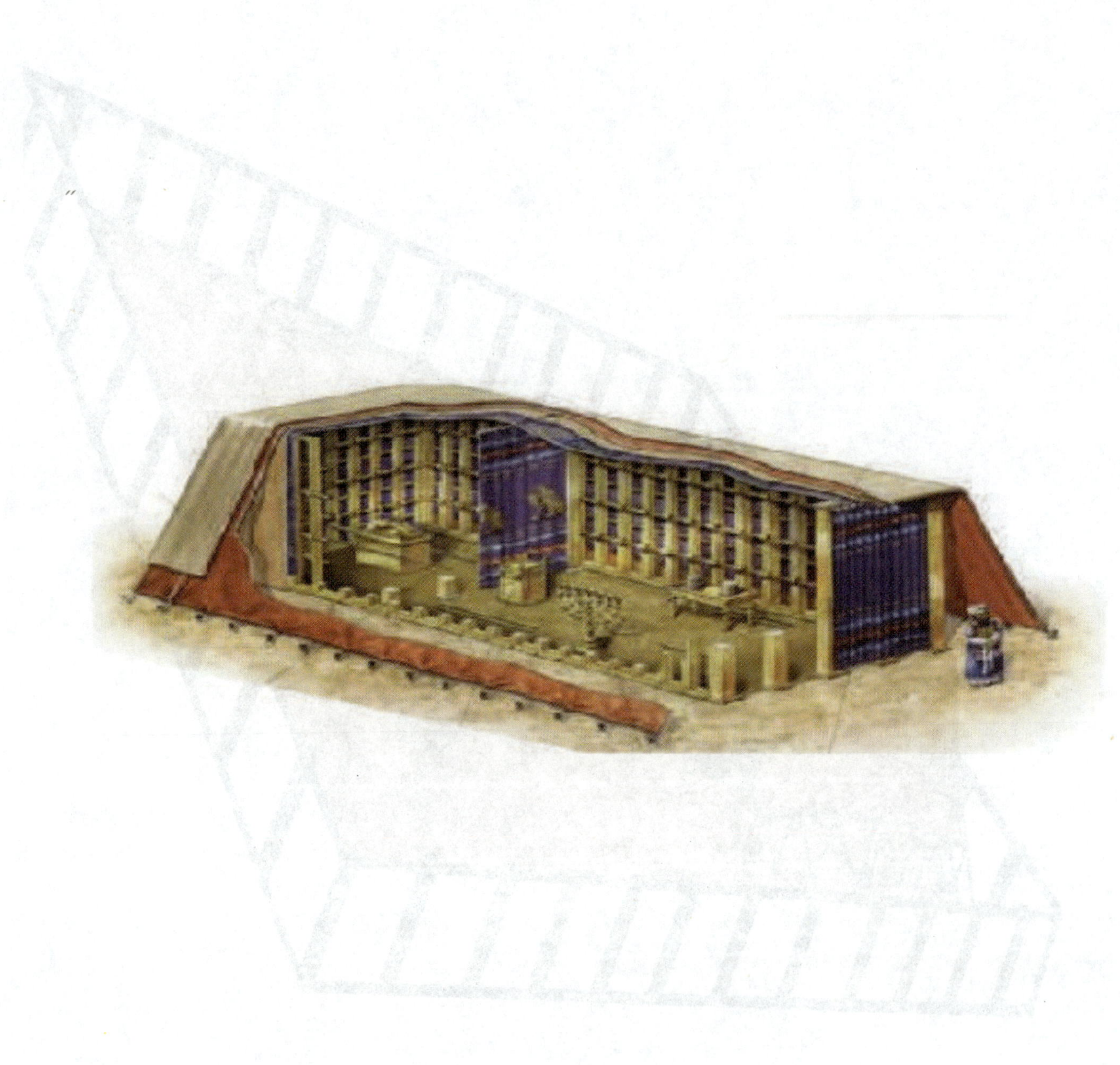

Lámina 6.12

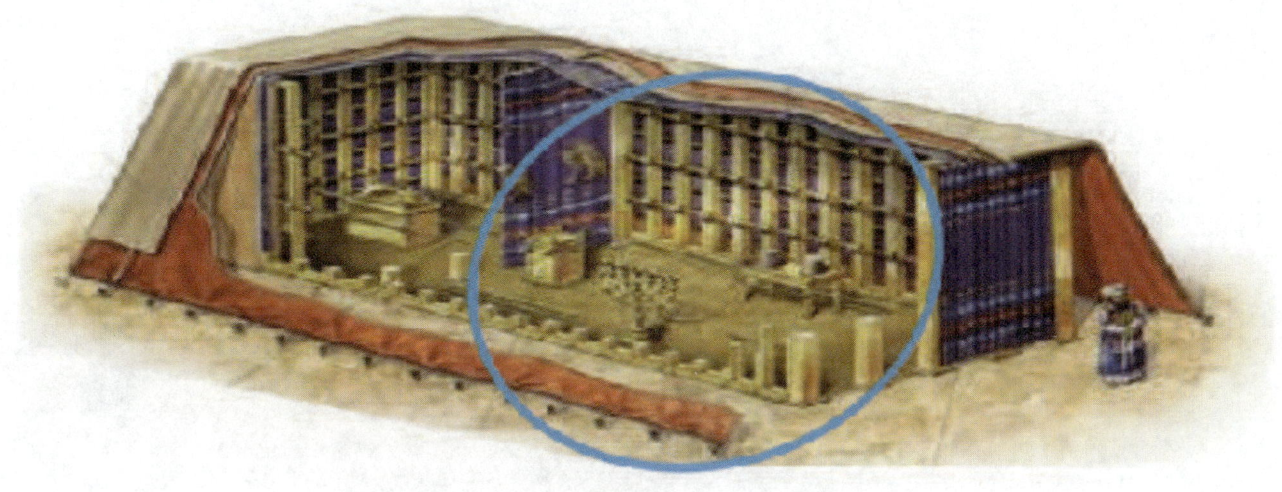

Lámina 6.13

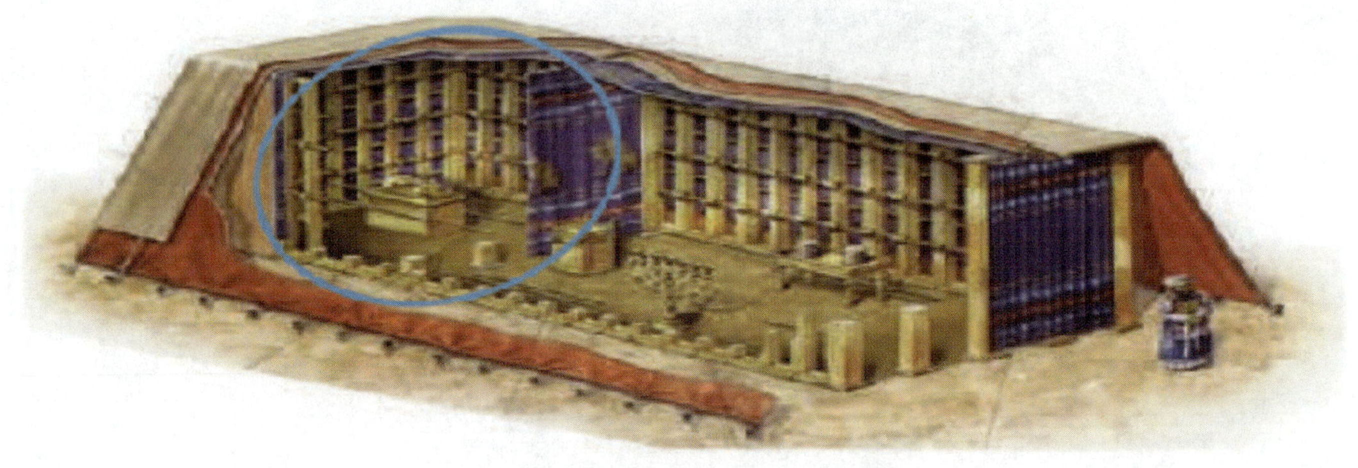

Lámina 6.14

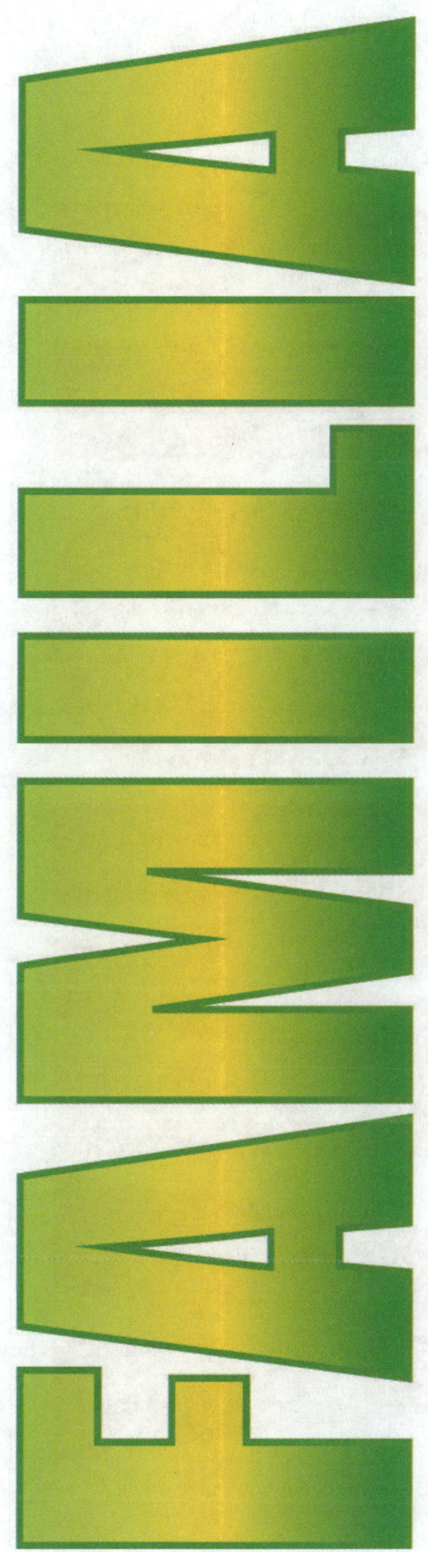

Lámina 7.1

Lámina 7.2

Lámina 7.3

Lámina 7.4

Lámina 7.5

Lámina 7.6

Lámina 7.7

Lámina 7.8

Lámina 8.1

Lámina 8.2

Lámina 8.3

Lámina 8.4

Lámina 8.5

CONOCIMIENTO

+ AMOR

= SABIDURIA.

Lámina 9.1

EDUCACIÓN

Lámina 9.2

Lámina 9.3

Lámina 10.1

Lámina 10.2

Astronomía
Física
GRANDEZA
PODER
Dios creó
con
Sabiduría
PERFECCIÓN
PROVEEDOR
Anatomía
Geografía
ORDEN
Biología

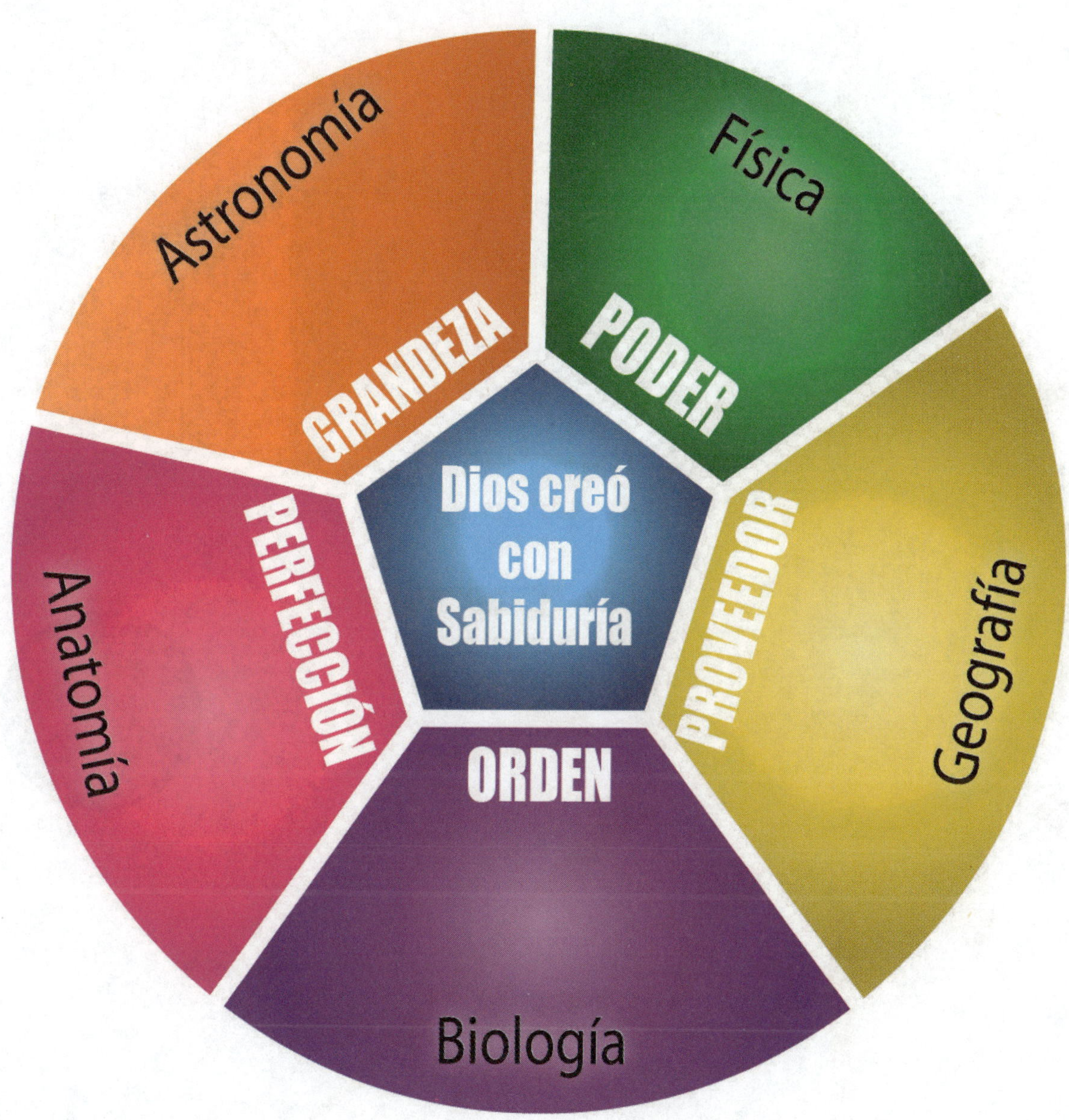

Lámina 10.3

Lámina 10.4

Lámina 10.5

Lámina 10.6

Lámina 10.7

Lámina 10.8

Lámina 11.1

Lámina 11.2

Lámina 11.3

Lámina 12.1

Lámina 12.2

NOTICIA
No.
LOREM IPSUM DOLOR SIT AMET | 11:12:2014
LOREM IPSUM
DOLOR SIT AMET
LOREM IPSUM
DOLOR SIT AMET
LOREM IPSUM
DOLOR SIT AMET

Lámina 12.3

Lámina 12.4

DEPORTES
APRIL, 20 - 2016 #178
MAGAZINE
$1
LOREM IPSUM
LOREM IPSUM DOLOR SIT AMET.
LOREM IPSUM
LOREM IPSUM DOLOR SIT AMET.
TITLE HERE
LOREM IPSUM DOLOR SIT AMET.
HEADLINE GOES HERE
LOREM IPSUM DOLOR SIT AMET.
HEADLINE HERE
LOREM IPSUM DOLOR SIT AMET.
TOP TEN ATHLETES
YOUR TEXT GOES HERE
YOUR HEADLINE GOES HERE TEXT HERE

Lámina 12.5

Lámina 12.6

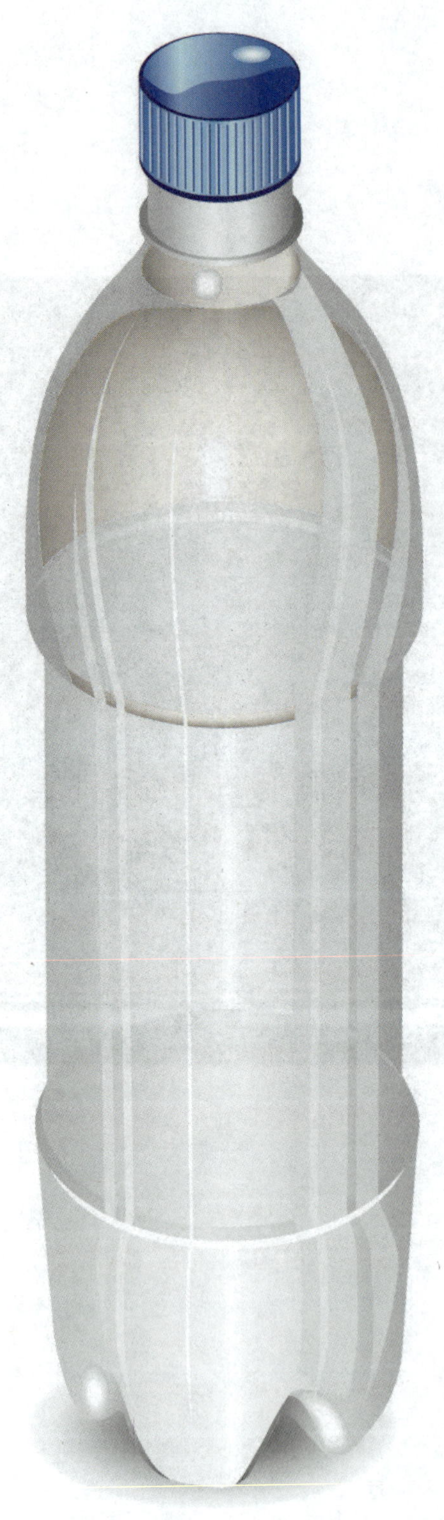

Lámina 12.7

Lámina 12.8

Lámina 12.9

Lámina 12.10

COMUNICACIONES

Lámina 12.11

VERDAD

Lámina 12.12

BONDAD

Lámina 13.1

ECONOMIA

Lámina 13.2

Lámina 13.3

Lámina 13.4

Lámina 13.5

Lámina 13.6

PRODUCCIÓN

Lámina 13.7

Lámina 13.8

Lámina 13.9

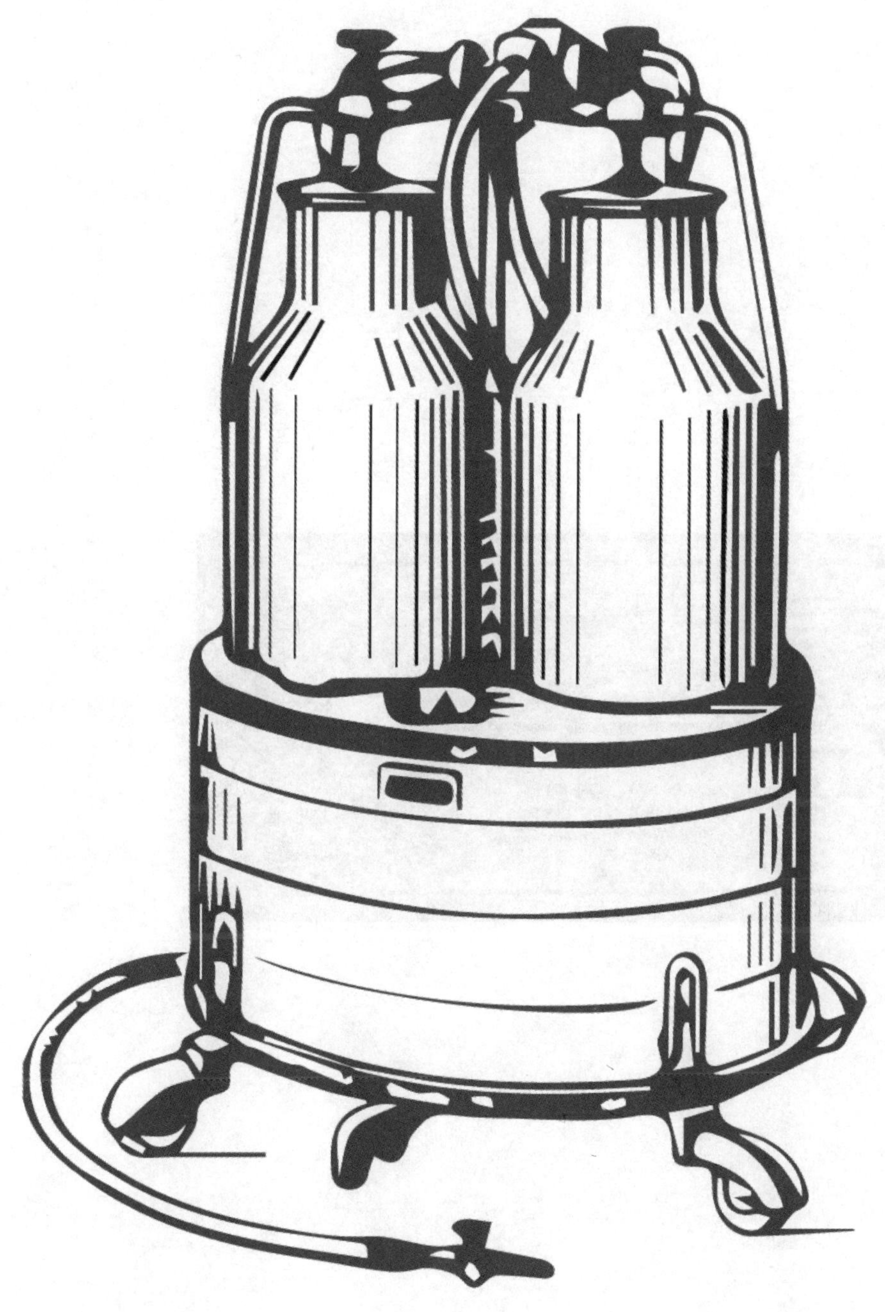

Lámina 13.10

Lámina 13.11

DISTRIBUCIÓN

Lámina 13.12

Lámina 13.13

Lámina 13.14

Lámina 13.15

Lámina 13.16

Lámina 14.1 para recordar

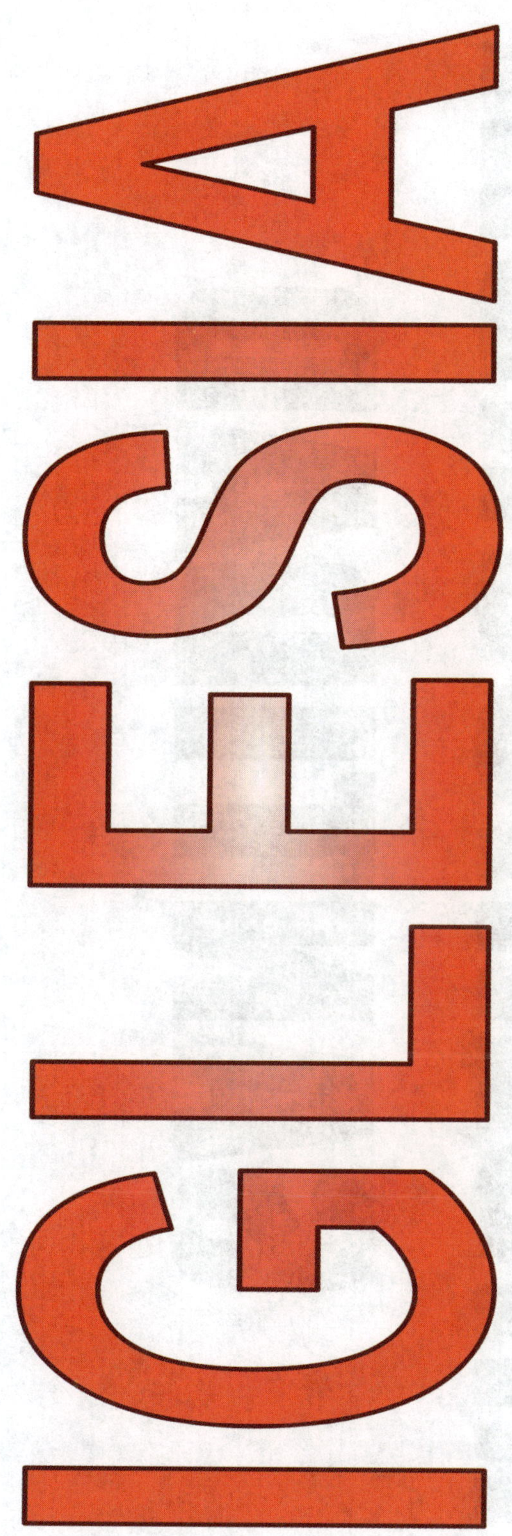

Lámina 14.2

Lámina 14.3

Lámina 14.4

Lámina 14.5

Lámina 14.6

Lámina 14.7

Lámina 14.8

Lámina 14.9

Lámina 14.10

CARÁCTER DE DIOS

Lámina 15.1

Pasos para un tiempo a solas con Dios

Lámina 15.2

CORAZÓN LIMPIO

Lámina 15.3

CALLAR

LAS VOCES

Lámina 15.4

Leer y meditar en la Palabra de Dios

Lámina 15.5

Orar por otros

. interceder

Lámina 15.6

DAR GRACIAS

Lámina 15.7

Lámina 15.8

Lámina 15.9

Lámina 15.10

Lámina 15.11

Lámina 15.12

Lámina 15.13

Lámina 15.14

ENSEÑA

Lámina 15.15

DISCIPLINA

Lámina 15.16

PROVEE

Lámina 15.17

NUTRE

Lámina 15.18

CUIDA

Lámina 15.19

TRAE BELLEZA

Lámina 15.20

AYUDA A PAPÁ

Lámina 15.21

OBEDECE

Lámina 15.22

Lámina 15.23

Lámina 15.24

Lámina 15.25

Lámina 15.26

Lámina 15.27

Lámina 15.28

Lámina 15.29

INVESTIGAR

RAZONAR

RELACIONAR

REGISTRAR

Lámina 15.30

Lámina 15.31

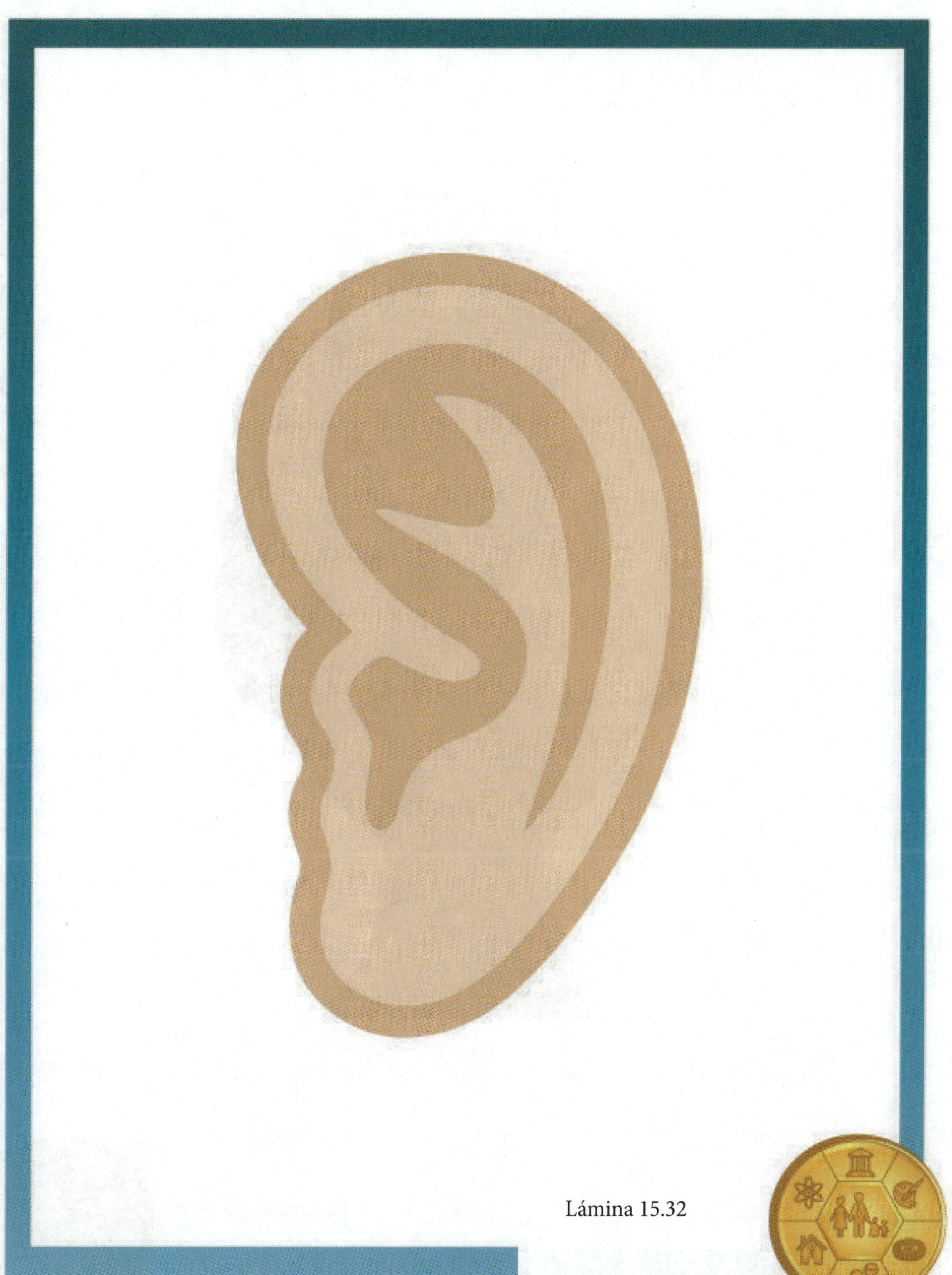

Lámina 15.32

Lámina 15.33

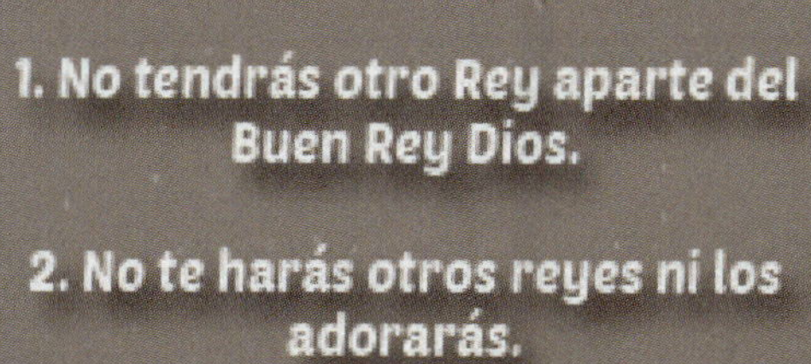

Lámina 15.34

Lámina 15.35

Lámina 15.36

Lámina 15.37

CONOCIMIENTO

Lámina 15.38

ANEXOS

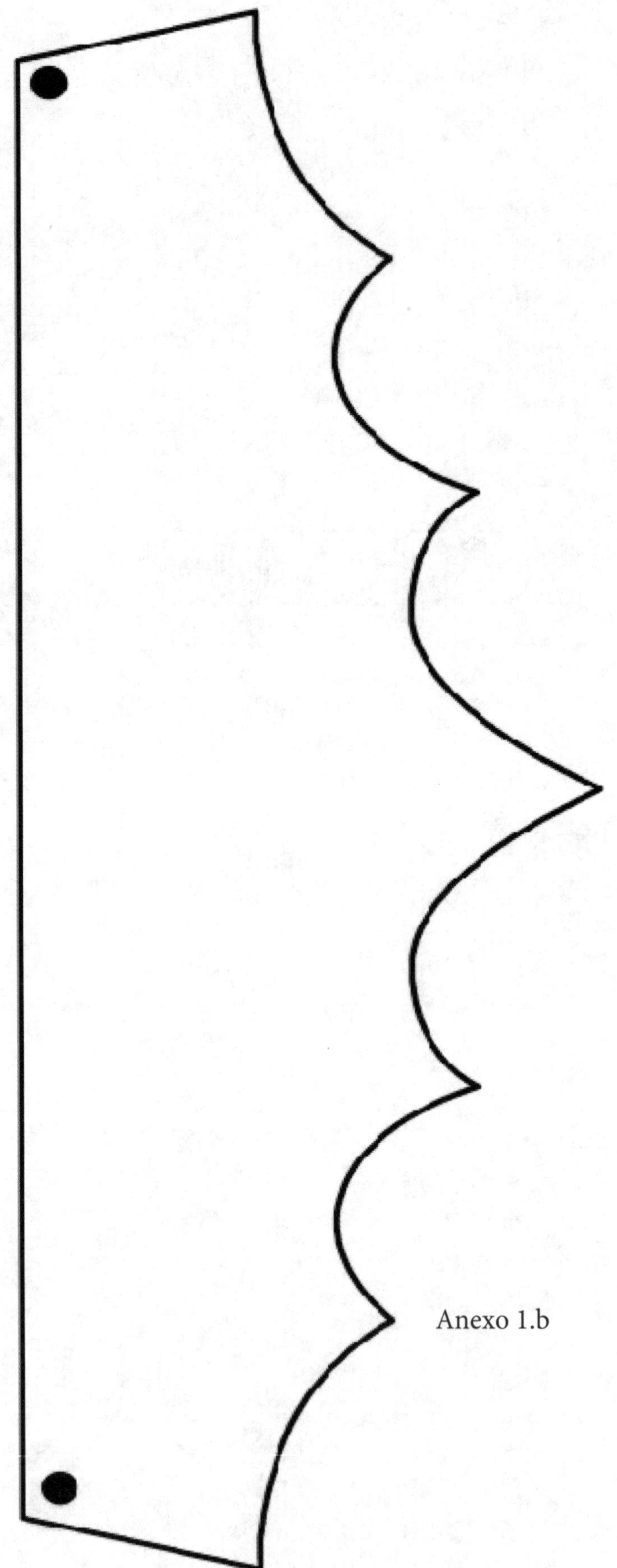

Corona
Recorta y pon un caucho en los huecos
Anexo 1.b

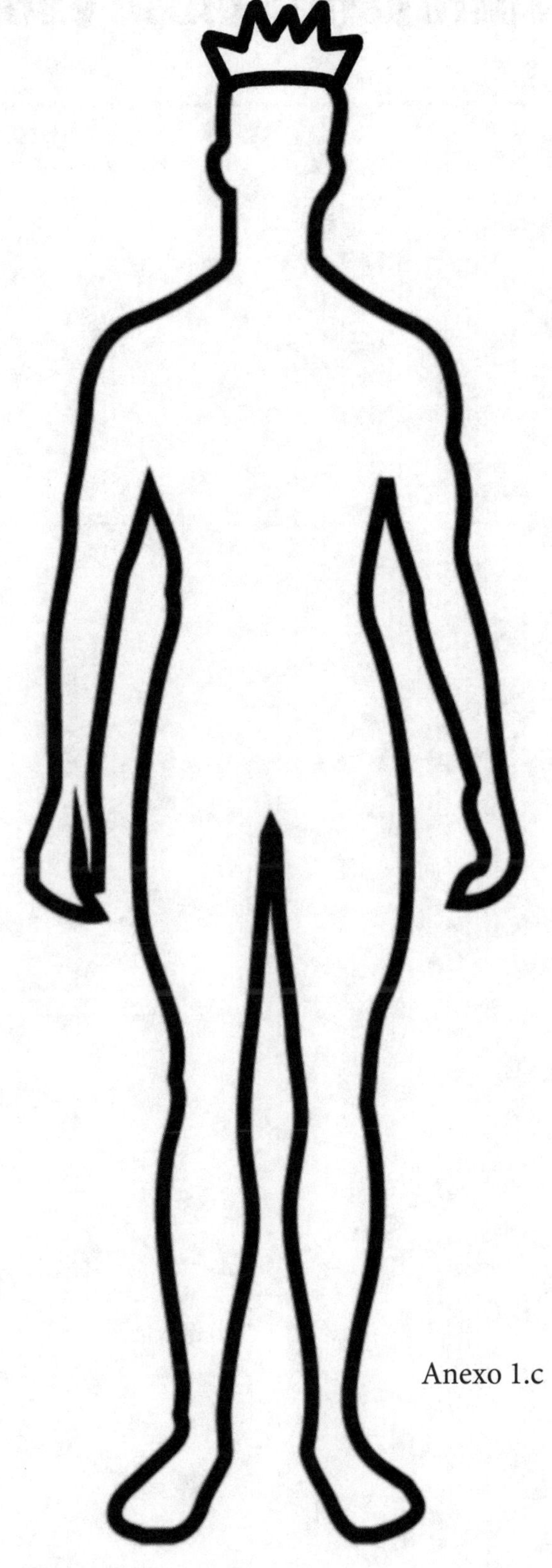

Anexo 1.c

Sobre para imprimir y armar

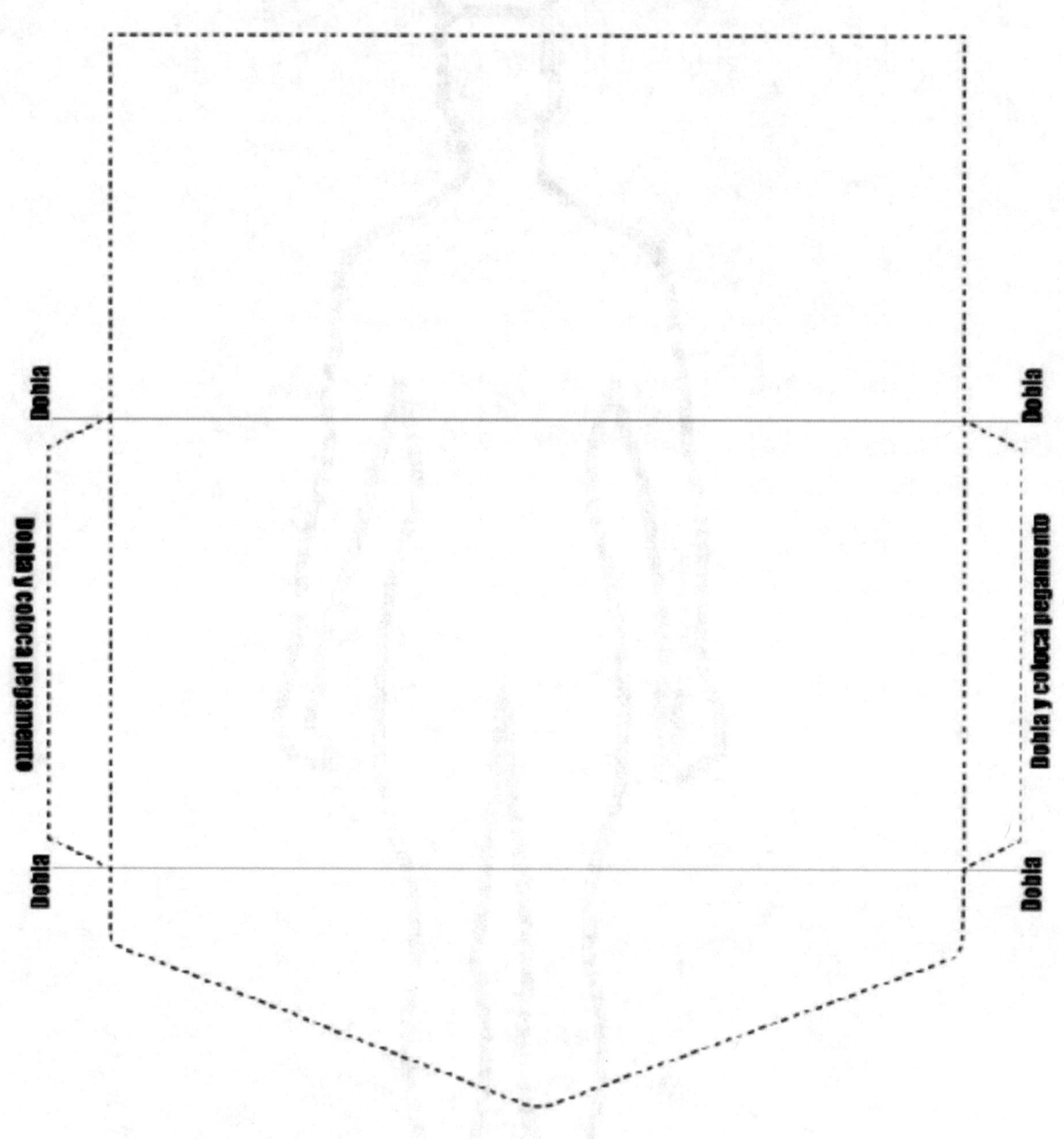

Anexo 1.d

Anexo 6.a

Anexo 7.b edad 8-11

Anexo 7.c

NOTAS:

NOTAS: